NEW
CLASSIC
LIBRARY

日本人が教えたい新しい世界史

宮脇淳子

Junko Miyawaki

徳間書店

まえがき

「歴史とは何か」という問いは簡単なようでいて、実はたいへん難しい問題をはらんでいます。私の先生で主人でもある岡田英弘の著書に『歴史とはなにか』という題名の本があります。二〇〇一年に刊行された文春新書版は、二〇一八年には二一刷りになり八万部を超えるロングセラーになっています。

藤原書店から二〇一三年六月に刊行が始まった岡田英弘著作集の第一巻のタイトルが『歴史とは何か』です。お気づきでしょうが、題名の「何か」が、文春新書はひらがなで、藤原書店の著作集では漢字になっています。もちろん日本語では同じ意味ですが、なぜひらがなにしたかということです。この題名は、古典ともいえるE・H・カーの『歴史とは何か』をはじめとして多くの歴史家が同じ題名の本を書いているので、読者に違いがはっきりわかるようにわざわざひらがなにしたのです。しかし著作集の第一巻では、『歴史とは何か』と元の題名に戻しました。

岡田英弘著作集は二〇一六年六月に第八巻が刊行されて完結しました。すべての巻とも文章は平易でたいへんおもしろいのですけれども、分厚くてしっかりした本なので、全部読み通すのはたいへんだ、ちょっと難しいという声もあります。

そこで私は、著作集にはどういうことが書いてあるのか、岡田史学が提唱した歴史とは何かということを、わかりやすく解説する本をつくろうと思い立ちました。

ひとくちで歴史といっても、過去のとらえ方は文化・文明によってぜんぜん違います。歴史のある文明と歴史のない文明もあります。歴史のある文明のなかでも、ヨーロッパ文明とシナ文明では歴史観がまったく異なっています。そういう前提を理解したうえで、日本の誕生、国民国家とは何か、時代区分の問題点など、現代のわれわれ日本人が歴史を考える上で重要な項目を順番に説明し、最後に日本人がつくる歴史、日本人はどのような気持ちで、どういう覚悟で世界史をつくっていくかについて述べたいと思います。

日本人が教えたい新しい世界史――目次

第2章 歴史のある文明と歴史のない文明

第3章 世界で初めて歴史をつくったヘーロドトス

第4章　キリスト教文明が地中海文明に加わった

第5章　中国は日本人がつくった

第6章 『史記』に呪縛された中華圏の歴史観

第7章 日本文明はいかにして成立したか

第8章 『日本書紀』の歴史とは何か

第9章 国民国家が世界史を変えた

第10章 マルクスに騙され続けている世界史

装幀――井上新八

第1章

「歴史とは何か」という大問題

人間がいて時間が経てば自然に歴史になるというほど歴史は簡単ではない

最初にまず「歴史とは何か」という大きな命題を取り上げなければなりません。なぜあえてこう問う必要があるのかと言えば、人間がいて時間が経てばそれがそのまま歴史になるというほど歴史は簡単なものではないからです。

いま世界で国連に加盟している国は一九七カ国ありますが、それらの国のすべてが歴史を持っているわけではありません。ふつうは国があればそれぞれに歴史があると思いがちですが、実は必ずしもそうではない。世界には歴史のない国が多いのです。歴史はある一定の条件がなければ書かれるものではないということを、まず最初にしっかりと理解していただきたいのです。

歴史を成り立たせる四つの要素

それでは歴史が成立するためには、どういう条件が必要なのでしょうか。直進する時間の観念と、時間を管理する技術と、文字で記録をつくる技術と、物事の因果関係の思想の四つの条件が必要だというのが、私の歴史の先生であり夫でもある岡田英弘が言い出した説です。

その条件の一つ目は、直進する時間の観念です。

私たち人間は、時間を正確にとらえることはできません。例えば、わずか数日前の出来事ですら正確に記憶している人はいないでしょう。一度ベッドに入って眠ってしまったら、どれぐらいの時間がたったのかすらまったくわかりません。時間の認識は人間の集団ごとに違っており、去年のことでも、一〇〇年前のことでも、ただ「むかし」というだけで区別しない人たちもいれば、今日の午前と午後に起こった事件の差を問題にして区別する人たちもいます。

時間を一定不変の歩調で進行するものだと考えて、日・月・年に一連の番号をふって暦をつくり、時間軸に沿って起こる事件を、暦によって管理し、記録にとどめるという技術は、きわめて高度に発達した技術であって、人間が自然に持っているものではありません。

時間が太古の時代からずっと直線的に現代まで流れてきており、それぞれの時間はすべて等価値で、一〇〇〇年前は二〇〇〇年前の半分だと理解して、古い時代から順番に新しい時代になるという考え方がないと、歴史という概念自体が成り立ちません。

二つ目の条件は、時間をどう管理するかということです。

時間を管理するためには、時間を測る技術が必要だし、そもそも時間を測ろうと考える文化が必要になります。

『ゾウの時間　ネズミの時間』（本川達夫、中公新書）という有名な本に書かれているように、動物によって生理的な条件が違えば、それぞれの主観的な時間は違っているようです。それでは時間を管理できません。物理的な現象を計測するなどして時間を客観化することが非常に大事になります。

三つ目に、文字がないと歴史を書き留めることはできません。文字のないところに歴史が成立するのかというと、これはたいへん微妙な問題です。

過去の出来事を記憶してそれを語り部が伝承するという文化が世界のあちらこちらにあります。そういうかたちで一〇〇〇年も伝わってきた歴史があるという人もいますが、伝言ゲームを思い浮かべればわかるように、話はふつうは途中でどんどんずれていきます。文字がなく、人が順番に伝えていくだけでは、本当にきちんと伝わるのかどうかわからない。したがって、歴史叙述には文字がどうしても必要になります。

さらに、歴史の成立にとって非常に重要な条件は、事件と事件の間には因果関係があるという感覚です。そもそも、歴史上起こったある事件と次の事件の間には因果関係があると考えるのは、世界中の人類共通の文化ではないということです。だんだん難しい話になってきましたが、もう一度最初に戻って、歴史とはどういうものかを考えてみましょう。

歴史とは過去の出来事がどういう因果関係で起こったかを明らかにするもの

歴史というのは昔にあったことです。でも、昔あったことというのは数限りなくあります。人が一〇〇万人いたら、一〇〇万の違うことが起こっていると言ってもいいくらいです。その中から歴史を書いたり、歴史にふさわしいと思うものを取り出したりするというのは、どういうことでしょうか。そのへんから哲学的な問題が始まります。

いま日本と中国・韓国との間で、歴史認識についてさまざまな議論が行なわれています。先の大戦における日本の戦争責任が問題にされていますが、では一〇〇年前はどうだったのか、二〇〇年前、三〇〇年前はどうだったのかと時間を遡《さかのぼ》っていけば、歴史の枠組みもどんどん変わってしまいます。

いま日本で歴史と言っているのは、私たち歴史学者から見れば、歴史を政治と混同しているとしか思えません。過去のある出来事を取り上げて、どちらがよくてどちらが悪かったから、こうなったと、理非、善悪を責め合っているように感じます。

本来の歴史というのは、ある物事について、なぜそういうことが起こったのか、その前にどういうことがあったからそういう出来事が起こったのだ、という因果関係を明らかにしたいという動機によって書かれるものです。

「歴史とは、人間の住む世界を、時間と空間の両方の軸に沿って、それも一個人が直接体験できる範囲を越えた尺度で、把握し、解釈し、理解し、説明し、叙述する営みのことである」（岡田英弘『世界史の誕生』ちくま文庫、同『歴史とはなにか』文春新書）

歴史の対象となる世界の中の、あちらこちらで同時に起こっている出来事を、一人が自分で経験することはできません。自分が生まれる前に起こったことを経験するのは、なおさら不可能です。そのような出来事を知るためには、どうしても自分以外の他人の経験に頼らなければならない。そういうわけで、他人の話を聞いたり、他人の書いたものを読んだりすることが、世界を把握し、解釈し、理解する営みの第一歩になるのです。

つまり歴史は過去そのものではなく、過去の解釈だということです。昔あったことを説明するために流れをはっきりさせることが歴史叙述なのです。

岡田英弘はまたこうも言っています。歴史は、時間と空間の両方にまたがって人間の世界を説明するものであり、はじめから自然界に存在するものではなく、文化の一つである。人間の集団によって文化は違うから、それぞれが「歴史」と思う内容が違ったり、歴史そのものに価値をおかない文化もある。

つまり歴史とは人間の住む世界を説明するものだから、「一個人の歴史」というのは比喩的な表現であって、歴史は一人の一生ではない、たくさんの人たちの人生がからまりあう、時の流れを描写するものなのです。

「ヒストリー」は「ストーリー」がないと理解できない

歴史の対象となるのは、本当にたくさんの人間とたくさんの地域です。日本だけをとっても、一つの村だけでは歴史にはなりません。先ほど述べたように、「一個人の歴史」というのは狭い意味の歴史を超えた比喩で、同じように「地球の歴史」とか「宇宙の歴史」も比喩的な表現です。というのも、地球にも宇宙にも書かれたものがないからです。ただし、人間はこれらにストーリーをつけて物語るから、われわれは地球や宇宙に歴史があるように錯覚しているのです。

英語で歴史のことを「ヒストリー」と言います。「ヒストリー」と「ストーリー」は語源が同じで、「物語る」という意味です。何年に何があった、その次の年には何があったと並べるだけでは、それらの関係も意味も理解できません。こんなことがあったから、こんなふうになったんだと説明してくれないと、おおかたの人間は何も理解できません。

だから、いまの日本の歴史教科書は間違っています。単なる年表が並んでいるだけで、本当の意味の歴史になっていないからです。お互いにつながらない話が羅列されているだけで、因果関係もわからないし、ストーリーがないので理解できないのです。

もともと歴史は物語です。前述したように、世界のあちらこちらで同時に起こっている出来事を、自分一人で経験することはできないし、生まれる前に起こったことももちろんまったくわかりません。そこで、ほかの人たちが言ったことや書いたことを集めてきて、どういう世界だったのか、と理解できるようにするのが歴史です。

たとえば戦争が起こったのはなぜなのか。だれとだれの仲が悪くて、どういう行き違いでもめ事が起こったのか。戦った結果、どちらが勝ったのか。そういうことを整理して物語ることが歴史です。ほかの人の書いたもの、ほかの人の話を集めてきたのが、実は歴史なのです。

しかしここで、他人が書いたことが丸ごと信用できるのかという問題が出てきます。ただし、だれも書いていないことは、ないことになってしまうのです。記録がないことは書きようがないからです。物語もできない。世界中にこんなにたくさん国がありますが、思い出してみてほしい。私たちは世界史の教科書で、いったい何を習ったでしょうか。

西洋史だと、エジプトにはじまり、ギリシア、ローマになって、そのあと飛んで神聖ローマ帝国になりますが、その間のアフリカはどうなっていたのか。ファラオがいなくなった後のエジプトは、どうなっていたのか。わからないでしょう？　書いたものがないからです。

いま世界のそれぞれの国は、自分たちの国がいかに立派で、いかに正統かということを一所懸命、自国の歴史として書こうとしています。何かの出来事を説明するのに、だいたいは自分の国が正しかったと書くので、それらは国民国家史ではあっても、それを全部集めたものが世界史とはとうてい言えません。

隣り合った国同士は、歴史については基本的に意見が対立します。日本と韓国だけではありません。戦争は、自分が正しいと思う国同士がぶつかって起こるので、負けたほうが「私が全部悪かった」と言ったとしても、それはいやいや言わされているのであって、本当にそうは思っていない。思っていないから戦ったのです。隣国同士で歴史認識を一致させるというのは、力の強いほうの言い分に無理矢理従わせる、あるいは経済的利害関係を考慮して妥協するなど、政治的判断以外のなにものでもなく、真実の歴史からはほど遠いものです。

絶対に正しい歴史などは世界のどこを探してもない

では、正しい本当の世界史はあるのかと聞かれたら、それはないと言わざるをえません。というのも、一〇〇年後、もしだれかが世界を説明したときに、いまと同じ説明ができるとは限らないからです。歴史は未来を予測できません。常に起きたこと、結果からさかのぼって見ることしかできないものだからです。

つまり、歴史というのは、いま私たちが生きている世界がなぜこうなのか、昔何があったからいまこうなってきたのかを自分たち自身が理解する、そういう必要のためにあるということです。過去の出来事から現在を意味づけて、みんなが理解するために書かれるものなのです。したがって、時代が変われば、そこから過去を見るわけだから整理の仕方が変わってくる。結果が違うから、そこから見ていくと説明も違ってくるのが実はふつうなのです。

神様ではなくて人間が書くものだから、しかも人間が人間の世界を説明するのだから、絶対的に正しい歴史、絶対的に正しい世界史はないんだということを、まず私たちは最初にしっかりと認識すべきです。

国が違えば、過去の見方も違います。個人が昔のことをどう考えるかと同じです。同じ時代でも自分にとってよかったときのことは、「あのころはいい時代だったね」と言えるでしょう。しかし、一方で「とんでもない。あのときはこんなふうで悪かった」と言う人もいます。どちらが正しいとは言えません。

岡田英弘が『歴史とはなにか』の結論で言っているのは、国を超えて時代を超えて、なるべく多くの人が「それはそうだよね。その説明はもっともだ」と納得するように、史料をきちんと整理して書き残すということです。それが結果的によりよい歴史になるのです。

絶対的な正しい歴史はありません。ただ、なるべくよいほうへ近づける努力をすることはできます。特定の政治家、特定の国、特定の思想にとって完璧だとか、そちらだけが正しかったとかいうふうにイデオロギーで過去を整理するのは、悪い歴史の典型です。

正しい、正しくないが初めから決まっているのは、結果ありきの偏った考えであって、そういうつもりで過去を見れば、自分たちに都合のよいところだけ抜き出して選べるわけだから、いかにもそれだけが世の中だったかのように説明することもできる。

それはそれなりになるほどと思えるものもありますが、それに対して「いや、まさか。それはいやだな」と思う人が半分以上いるとしたら、それはよい歴史とは言えません。だから、国民国家史を集めても世界史にならない。それはそれぞれの民族、国家のためにある歴史だからです。

ただし、問題はこの国民国家史も必要だということです。たとえばいま日本人でいる人たちが、これからもお互いに助け合って立派に生きていってよい国をつくるためには、「過去も仲良く共通の歴史を持っていたね」と思わなければいけません。

私は歴史家なのに自分の仕事を否定するようなことを言いますが、歴史家がしていることは全部正しいとは思っていません。問題点もたくさん見つかります。そういうものなのです。でも、よりよい歴史をつくる努力はできます。歴史家たるもの、嘘を見抜き、常に本当はどうだったのかということを真摯に考えるべきなのです。

私から見れば、いま日本と中国・韓国などの国家間で起こっている、政治的・外交的な歴史論争は、自分は絶対に正しくて相手は常に間違っていたという「善悪二元論」ばかりになってしまっており、よりよい方向に向かう動きとは決して言えません。二元論の話はあとでしますが、言いたい放題言って力でねじ伏せることを歴史だと思わされていることは、とても悲しむべきことです。

私は「絶対的解決はある」などと言う人を疑います。それは神ならぬ相対的な存在である人間の世界に対して、あまりにも天使と悪魔のような「善悪二元論」を持ち込みすぎていると思うからです。

個人としての人間も人間社会も、簡単に割り切れるものではありません。個々人の複雑な事情がからまって成り立っているのがこの世界であって、その中で過去をなるべくわかるように説明しようというのが、本当の意味の歴史です。ですから、私の説明を読んで、みんながなるほど「そうだね」と納得することが、まずは基本的な最初の理解になるべきなのです。

歴史の舞台は時間と空間のなかにある

さて、話を戻して、歴史を成立させる重要な要素であり、歴史の基本的な座標となる時間と空間についてもう一度考えてみましょう。

歴史は時間と空間にまたがっています。人間が一人だけいるのではなくて地域的に大きな場所があり、また自分が生きている時間を超えた古い時代からの時間の流れがある。その両方がないと歴史の舞台は成立しません。

時間と空間では、はるかに扱いやすいのは空間のほうです。空間は歩いて測ることができるし、遠い所でも行って帰って来ることができる。つまり空間は自分の体で測ることができるからです。

ところが時間は行って帰って来られるものではなく、感覚で直接認識できるものでもない。先ほど言ったように、「お休みなさい」で眠ってしまえば時間は捉えられなくなる。いまは時計があるからわかっているつもりになっているだけで、時間を測る機器がなければわかりません。時間を認識するためには、運動している物体を見て、その進んだ距離を時間に換算するしかない。「時間の長さ」ということば自体、時間を空間におきかえた表現です。

一日というのは太陽が出て沈み、次の太陽が出るまでです。一月というのは、昔は陰暦、いまは陽暦で換算しますが、もともとは目に見える月の満ち欠けで測りました。一年というのも、地球が太陽の周りを回ってもとに戻るまでを言います。

つまり時間の長さを測るために、われわれ人間は、地球が自分の軸の周りを回る自転の周期を「一日」、月が地球の周りを回る公転の周期を「一月」、地球が太陽の周りを回る公転の周期を「一年」というように、天体の運動を長さにおきかえて時間を区切ったのです。

ところがこの年・月・日という時間の単位を使う上で、大きな問題があります。「一日」が一月の中のどの一日か、「一月」が一年の中のどの一月か、出来事が起こったのが後か先かを決めるためには、それぞれの月や日に名前をつけるか、または番号を振って区別しなければなりません。さらに大きな問題は、人間の一生が一年よりははるかに長いことです。

そこで最終的な解決策は、年・月・日で区切った時間の一切れ一切れに番号を振って、数字によって過去の時間を保存し、未来の時間を管理することになる。これが暦の起源です。ナザレのイエスの誕生の年を元年とするキリスト教紀元はその一つです。

たとえばいまは二〇一六年九月ですが、二〇一六年というのはキリスト教の暦で、イエス・キリストが生まれた年から数えたものです。

ところが、数え出してだいぶたってから、イエス・キリストは実際には紀元前六年から四年の間に生まれたということがわかってしまった。しかし、すでに各地で年号として使い続けてきていたので、それをいまさら変えられなくてそのまま使われているのです。

一方、「令和」は日本だけの暦で、天皇陛下が即位された年から数えたものです。この令和という日本の年号は、漢字を使って天皇ごとに暦をつくるというシナ文明の影響です。『日本書紀』の昔から暦は続いていて、さかのぼっていくと神武天皇の即位があります。

世界中どこにでも歴史が生まれたわけではない一番大きな理由は、時間をきちんと計測して記録に残すということが、非常に高度な文明にしか誕生しなかったからです。

第2章

歴史のある文明と歴史のない文明

そもそも時間を管理できる文明でなければ歴史は成立しない

歴史とは、過去を時間と空間の両方に沿って見るものだと前述しました。そもそも空間はともかく、時間をきちんと同じ長さで測って数字にし、それを過去までさかのぼるという高度な技術を持っていない人間集団のほうが世界には多いのです。世界中に自然に歴史があるわけではないのはそのためです。

また歴史は過去を説明するものですが、そのためには文字が必要です。「だれが」「どこで」「何を」というような出来事が文字で書かれていなければなりません。漠然と「人がたくさん住んでいました」では物語にはならないのです。だから、歴史のある文明と歴史のない文明があるということですが、これについてはまたあとで詳しく説明します。

旧大陸の古代四大文明は、エジプト、メソポタミア、インダス、黄河に起こりました。アフリカの一番北のエジプト文明には、有名な巨大ピラミッドがあって、もちろん文字があります。ヒエログリフと呼ばれる絵のような象形文字が、いま世界中で使われている表音文字つまりアルファベットの起源になりました。メソポタミア文明は、いまのイラクからイラン西部にまたがるティグリス・ユーフラテス河の流域にあって楔形文字を持っていました。

図1　古代四大文明すべてで歴史が書かれたわけではない

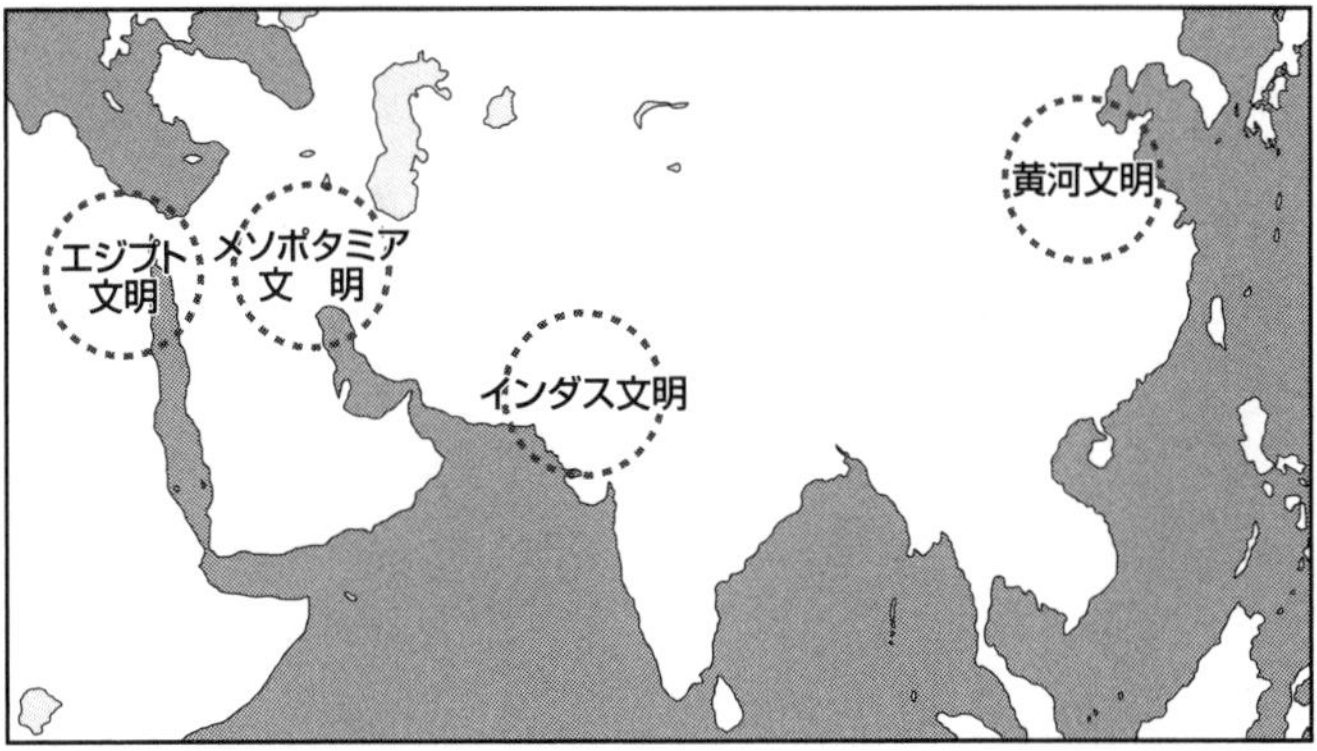

インダス文明はインド文明につながるものですが、いまのインダス河の西のほうに非常にすぐれた都市文明があった。上下水道が整備されて、人口の多い立派な街ができていた。だから、文明と言われるのです。

黄河の中流域には漢字が発達した黄河文明が栄えました。しかし、実は漢字そのものは南の長江流域で発明されたということがわかっています。ところが、長江上流の現在の四川省のあたりで発見された三星堆《さんせいたい》遺跡は、高度に発達した青銅器文明でしたが、漢字で書かれた文書は一つも出てきませんでした。長江文明は漢字を発明したけれども、漢字文明が発展したのは黄河の中流の洛陽盆地でした。

なぜ黄河中流で漢字が発達したのかについてはあとで詳説しますが、洛陽盆地が、多種多様な人間集団がやってきて商売をする、交易の十字路だったからです。交易のためにはどうしても文字が必要でした。だから、漢字文明が発展したのです。

ここで文明と言っているのは、都市文明のことです。都市に人間がたくさん住んでいれば、記録を取る必要が出てきます。とくに商業活動には、記録が欠かせません。倉庫に入れた品物がどれだけあるのかを数字で表す必要がある。記録はまず数字を書くことから始まっています。さらに、王様の名前を記録するとか、違う集団同士で契約をしたり、外交文書を書きとめるなど、文字がなければ文明とは言えません。旧大陸の四大文明にはすべて文字がありました。

しかし、古代四大文明の中で、歴史が本当に書かれたのはシナだけです。エジプトの遺跡にもファラオの話はたくさん記録されていますが、国の歴史としては書かれていない。エジプトを継承したと言われている地中海の北のギリシア文明まで行かないと歴史は生まれなかった。歴史の有無について注目されるのはインド文明です。実はインドは歴史のない文明だと言ってもいいからです。

岡田英弘の『歴史とはなにか』の中で多くの人が一番注目したのは、インド文明とイスラム文明とアメリカ文明が、歴史という要素がないか、少ない文明だと初めて指摘したからです。岡田英弘監修による『歴史のある文明・歴史のない文明』という本もあります。

インドには古来から歴史がなかった――輪廻転生という思想

インドには古い時代から都市が栄え、文字の記録もあって、商業や手工業などの産業も盛んでした。さまざまな物語も書かれていますし、音楽もある。何より哲学が非常に発達していた。それにもかかわらず、歴史を記録するという文化はイスラム文明がインドに入ってくるまで存在しなかった。古代インドには何年何月にだれが何をしたという記録がなかったのです。

日本人は基本的に仏教徒ですから、仏典を読んだり、お経を唱えたりしているから、インドに歴史がなかったと言われると戸惑うかもしれません。

しかし実は、仏教の始祖であるお釈迦様の生まれた年も死んだ年もわかっていないのです。学者によって諸説があって、一〇〇年ぐらいの誤差がある。

仏教はインドで生まれて、北伝仏教は、ガンダーラに入ってからシルクロードを伝わってシナに入ります。日本にはシナ経由で入ってきました。ガンダーラというのは、紀元前四世紀にアレクサンダー大王が地中海からギリシア文明を持ってやってきて、ギリシア文明とインド文明が出会ったところです。

実は、仏教がガンダーラに伝わるまで仏像は存在していません。お釈迦様の足跡が残る石とか、チャクラ（輪）をまわす、すぐれた指導者を転輪聖王と呼ぶのですけど、だから丸い輪でお釈迦様を表したり、そういうシンボルのようなものはありましたが、彫像としての仏像はありませんでした。お釈迦様を人間の形の像にするのは畏れ多かったからです。

ところが、ギリシア人は昔からゼウスなど、人間とそっくりな神様の彫刻像をつくっていましたから、ガンダーラでお釈迦様の姿を仏像にした。このときにギリシア人は文字や年代などを持ち込みました。有名なアショカ王やカニシカ王が仏教徒になったときには、大きな石碑に経典を刻んでいます。それで、こうした石碑がアショカ王やカニシカ王の在位何年につくられたのかがはっきりわかるのです。

それまでは、弟子たちが口伝で、お釈迦様の教えを広めていました。もちろんお釈迦様の言葉は文字で書き残していません。しかし、それが何年だったのかという記述はいっさいなかった。お釈迦様に限りません。インドでは王様の名前はあっても、年代の記録がなかったのです。

古い時代にウパニシャド哲学や『マハーバーラタ』や『ラーマーヤナ』などの物語が書かれて本当に文明度は高かった。ヨガはもちろん、エステまであったにもかかわらず、歴史学はなかったのです。ですから、インド史を研究するのはとてもたいへんです。なぜインドでは歴史が発生しなかったのか。

六道輪廻の世界観には歴史が存在できない

インドに歴史がなかったのは、インド文明に特有な輪廻の思想のためだというのが岡田英弘が出した結論です。

インドの文化というのは輪廻転生が非常に重要です。六道輪廻《りくどう》と言いますが、衆生《しゅじょう》（生き物）には六種類がある。天（神々）、阿修羅《あしゅら》（悪魔）、人間、畜生《ちくしょう》（動物）、餓鬼《がき》（幽霊）、地獄の六つです。

奈良の興福寺にある国宝の阿修羅像はとてもかわいらしい少年の顔をしていますが、あれは本当は悪魔です。天の次に神様から堕落したというか、神様だけれど悪魔なのが阿修羅です（六道の順番には、天の次が人で、その次が阿修羅であるとするものもあります）。

阿修羅の次が人間で、その下が畜生です。「畜生」と書かれるといい気持ちはしませんが、実は家畜や動物のことです。家畜や動物を意味するサンスクリット語を漢字に翻訳するときに使われたのがこの文字だったのです。

その次は餓鬼です。餓鬼とはお腹を空かしている鬼ですが、これは幽霊のことです。地獄まではは行かないけれども、その途中でお腹を空かしていて常に満たされない存在です。そして最後に地獄が来る。天から地獄までの間の真ん中が人間だというのが、六道輪廻の思想で、われわれは、この六つの世界を回っていると考えます。

来世でどんな種類の生物に生まれ変わるかは、今生《こんじょう》でどのような行為を積んだかによって決まる。これを「業《ごう》」と言います。いま人間として生まれているのは、業によってそうなっている。前世でいいことをしたから人間に生まれ変わっている。前世が原因で、今生が結果、今生が原因で、来世が結果なのです。現世で悪いことをしたら、次は動物になるかもしれない。だから、動物に対しても悪いことはしないでおこうと思うし、たとえば牛を見たら、もしかしたらこれは母親の生まれ変わりかもしれないと思う。これは仏教だけではなく、ヒンドゥー教やジャイナ教などインドの宗教すべてにこの輪廻転生の考え方が抜きがたく入っています。

こういう輪廻転生の思想があるところでは、人間界だけに範囲をかぎった歴史は成り立ちません。人間界で起きた事件は、天上界の事件の結果かもしれないし、魔界の事件の結果かもしれない。因果関係が人間社会だけで終わらないからです。

インド映画を見てもそのことがよくわかります。インド映画で特徴的なのはダンスの場面です。インドの俳優たちはダンスがとても上手で、大事な場面に来ると集団のダンスが始まります。インドでは、歌と踊りは神様と直結したもので、恋愛も一番いいところになると歌って踊っておしまいになる。人間界の散文的な出来事だけではインド映画になりません。それが輪廻

図２　輪廻転生の絵

インド文明では天、阿修羅、人間、畜生、餓鬼、地獄の六道を輪廻すると考える

転生と直接結びつくとは言いませんが、歌や踊りが合体したものが映画だという意識は、神様の世界と人間世界とがいつも裏表になっているという考え方が非常に強いインド独特の文化です。

さらに、輪廻転生は生まれ変わりの思想なので、時間が過去から真っ直ぐに流れてくるという考えが生まれません。世界はいつでもぐるぐる回っている。どこか途中で区切ってそこから前が過去になるとは考えない。輪廻思想の基本は、時間は直線的に進行するものではなく、くりかえし原初に戻るものだ、という感覚です。時間をこういうふうに感じるところでは、時間軸に沿って物事の筋道を語るという歴史文化は意味を持ちません。

古代インドの二大叙事詩である『ラーマーヤナ』と『マハーバーラタ』はとても素敵な物語ですが、天上界の神様の話と下の人間界の話が行ったり来たりします。物語られるストーリーが現在のわれわれの時空とはまったく別の世界なのです。近代以後の時間軸に沿って物語の筋道を語るという歴史文化が、インドにはなかったからです。

だからインド史の本は日本でも出ていますが、古い時代についてはアナール学派的な文化史のような内容が多くなっています。なぜなら何年と時間を特定できないからです。イスラム教が入ってから以降は、何年何月に何が起こったのかが記録されるようになりました。もちろんイギリスがインドを植民地にしたあとは、本当にはっきりとしてくるので、近現代史になると世界の他の国と同じような歴史が書かれるようになります。

イスラム教も歴史の因果関係を否定する文化

イスラム教がインドに歴史という文化を持ち込んだわけですが、実はイスラムも、本来は歴史の因果関係を否定する文化です。というのも、イスラム教徒は神様が一瞬一瞬、世界を創造していると考えるからです。過去と現在と未来との因果関係はないというのが、イスラム教の考え方です。

有名な話ですが、日本のイスラム学者がこう書いています。日本人が中東、イスラム圏で仕事をしていて一番腹が立つのは何かというと、相手が約束をしっかり守ろうとしないことだと言います。たとえば「明日の何時に、この場所でこういう話をするためにお目にかかります」と約束しようとしても、相手がイスラム教徒なら、必ず「イン・シャー・アッラー」と答えるでしょう。「神様がそれをお望みになるならば」という意味です。そう言われると、日本人でもヨーロッパ人でも、「まったく無責任な答えではないか」と思わざるをえません。

ところがイスラム教徒は、どれほど西洋近代の学問を勉強した学者でも、たとえ宇宙物理を学んだ科学者でも、「インシャッラー」と答えます。こう言わない人はイスラム教徒ではないのです。

まだ起こっていない明日のことを勝手に人間が絶対にこうしますとは言えないと考えるのがイスラム教です。人間は移ろう存在ですが、神の言葉は絶対で不変だからです。

イスラム教徒にとっては、世界の一瞬一瞬が神の創造にかかっている。過去・現在・未来とが因果関係によって固定されず、過去の出来事によって現在がしばられるわけではなく、未来は神の領域に属する。未来について語るとき「イン・シャー・アッラー（神の意志あらば）」という語句を付けずに「必ず会います」と言うのは、神の意志よりも自分の意志を優先させる重大なる不敬の罪になるのです。

こういうイスラム教の教義からすると、イスラム文明では歴史は成り立たないはずなのに、教祖ムハンマドの亡くなった直後から記録があり、本格的な歴史も書かれています。その理由は、歴史には自分の立場を正当化する「武器」になるという重要な機能があるからです。

しかし、もともと歴史が成立するための条件が欠けているため、イスラム文明は歴史の取り扱いが苦手で、歴史のある文明にことごとに出し抜かれています。だから、原理主義的になるのかもしれません。

ローマ帝国への対抗として歴史を受け入れたイスラム文明

イスラム教徒が「ムハンマドはこう言っている」と、常に聖典である『コーラン』に依拠するのは、歴史という時間の流れの中での因果関係をきちんと説明するとか、出来事の是非を整合性をもって説得するということが、彼らの世界の中では重要視されていないからです。神様との一対一のやりとりのほうが優先順位が高いのです。

それでもイスラムにはキリスト教の西暦に対抗した独自のイスラム暦があります。イスラム暦は、一月から始まるのではないために、歴史的事件の年号を換算するときには、イスラムの何年から何年が西暦の何年となり、西暦の何年から何年がイスラム暦の何年というふうに、必ず複数の年にまたがります。

では、本当ならば必要のない歴史をなぜ持っているのか。ムハンマドが生まれたときには、隣に歴史を持つ地中海文明のローマ帝国があり、ムハンマドの死後、その後継者たちがこれに対抗してアラブ帝国をつくるには、相手の持っている歴史文明を取り入れざるをえなかった。そうでないと外交交渉で負けるからです。

歴史を持っている者の方が強いのです。いまもパレスティナとイスラエルの間で紛争が繰り返されていますが、イスラエルは、「俺たちの祖先はもともとここに住んでいた。これがその証拠だ」と『旧約聖書』を持ち出してくる。アラブにはそんな記録はありません。

日本の尖閣諸島問題や竹島問題などでも、日本人が割合のんきにしているのは「江戸時代の文献があるのだから、それを見せればいい」と、史料を水戸黄門の印籠のように出すことができるからです。

それは歴史のある文明同士でなければ役に立たないし、実際には力関係でいつでも覆りますが、イスラムは地中海文明の中から生まれて、それに対抗しなければいけなかったので歴史を取り入れた。しかしイスラム社会では歴史の重要性は低くなります。アッラーが一番上だからです。だから、イスラムでは歴史の本はあるにはあるけれども、どちらかというと地理学に近くなってしまうのです。

実はアメリカも歴史に対する感覚が鈍いところがあります。世界各地の歴史を、地域学（エアリア・スタディーズ）の一部として扱ったりするのは、歴史が自分たちの哲学や思想の最上位にはないことを示しています。

イスラム文明も、歴史のある文明に対して、いつでも証文の出し遅れというか、証文がないというか、説明が下手で負けてしまうのです。

イスラムのような文明を「対抗文明 counter-civilization」と呼びます。文明が本当に必要に

図３　イスラム文明は歴史ある地中海世界と隣り合わせ

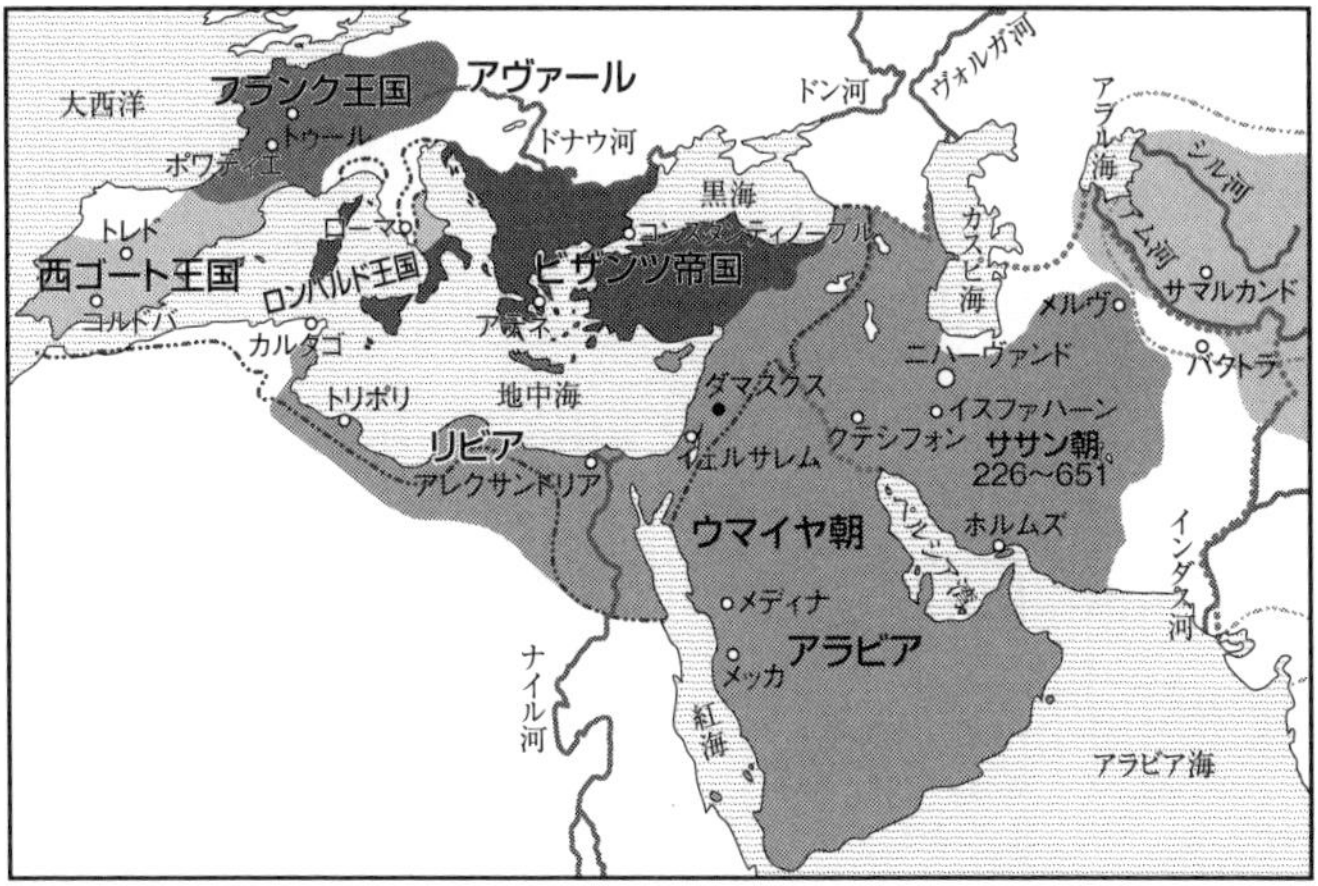

せまられて自分たちの中から出てきたものではない。相手の文明に対抗して、自分たちのアイデンティティ、自分たちは何者かを言わなければいけない。正統性を訴えなければいけないから、まねをしてつくりましたということです。

実は日本も対抗文明の国です。シナには歴史をふくめてたくさんの文書があったので、それに対抗して自らの文明をつくる必要があったからですが、それについては、またあとで詳述します。

アメリカは過去と断絶し、憲法だけでつくられた国

歴史のない文明の三つ目はアメリカです。アメリカ合衆国は非常に特異な国家で、他

に類例のない国といってもいいでしょう。

　アメリカ合衆国は、一七七六年の「アメリカ独立宣言」と一七八七年の「アメリカ合衆国憲法」によって人工的につくられた国家です。

　イギリス本国からそれまで課税されていなかった一三のアメリカ植民地が、税金を要求されて反旗を翻した。植民地のアメリカの人たちにはイギリス議会の議員を選ぶ権利がなかったのに課税されるというので、有名な「代表なくして課税なし」というスローガンが生まれ、イングランド王に独立を要求して戦った。それがアメリカ独立戦争です。

　アメリカは独立戦争後に憲法を制定して、ユナイテッド・ステイツ・オブ・アメリカとなります。ステイトあるいはコモンウェルスは、どちらも共有財産という意味です。一三の州がイギリスから独立したということは、自分たちの土地や財産は自分たちのものであると宣言したということになります。

　イングランド王の財産を暴力で奪った革命によって、王権とのつながりを断ってアメリカ合衆国を創り出した。それまで土着のアメリカ王のようなものがあったわけではなく、君主制を否定することで国家を成立させたのです。

　アメリカがとくに幸運だったのは、新大陸アメリカには土着のアメリカ王がいなかったのと、もともと住んでいた人が非常に少なかったということがあります。インディアンと呼ばれたネ

図4　アメリカ13植民地から合衆国へ

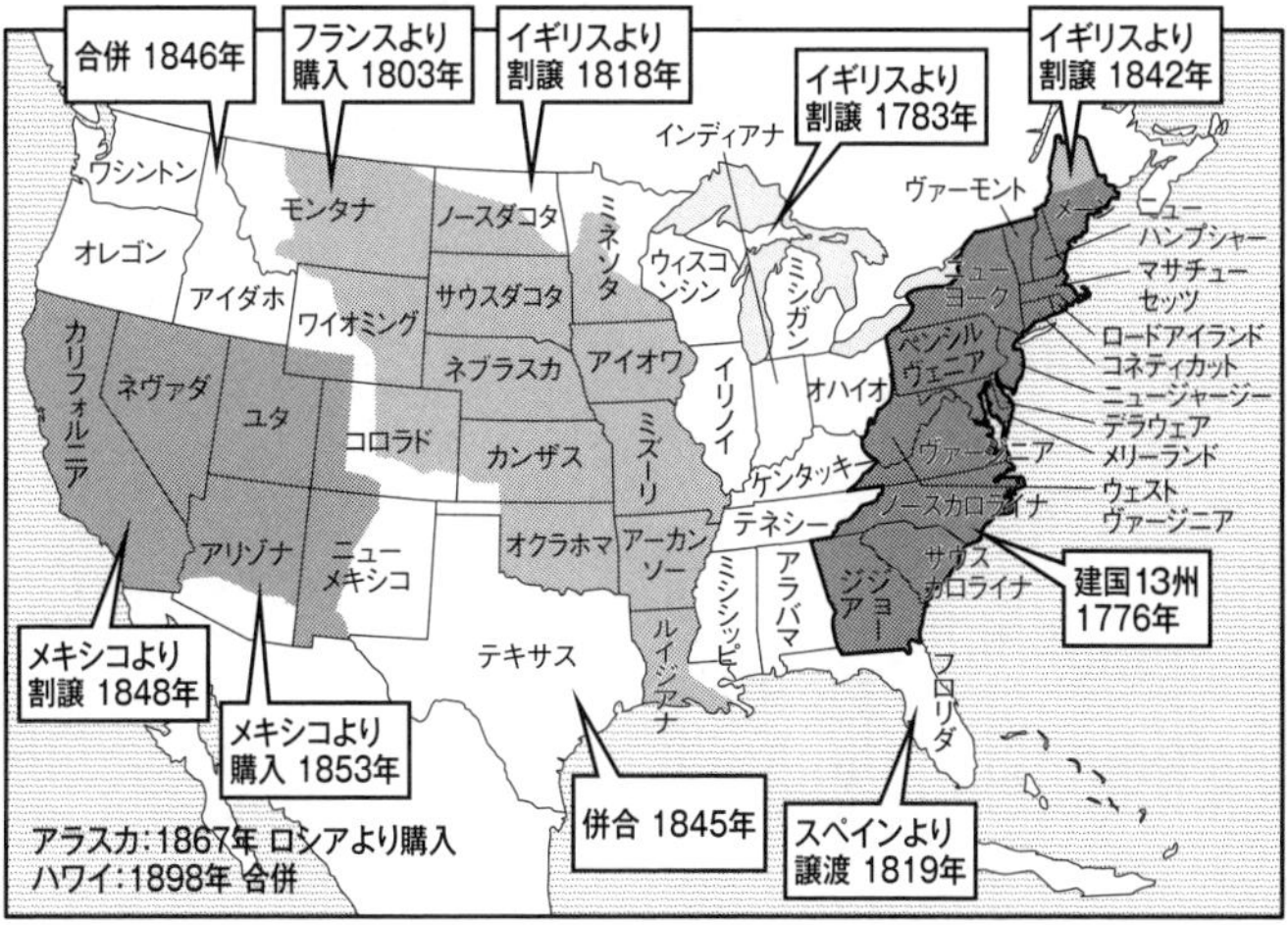

イティブ・アメリカンがいたけれども、インディアンの人口が少なく力が弱かったので、あっと言う間に蹴散らされた。

そして、アメリカ人が宣言したとおりにアメリカは進んできて、あんなに広大な領域に広がってしまいました。つまり、アメリカ合衆国は、それまでの歴史的経緯を無視してできた国家です。憲法と宣言だけでつくった国が、憲法と宣言だけでずっといままで生き続けているのです。

国民こそが国家の主人であるとする国民国家は、このアメリカの独立戦争によって生まれました。フランス革命から国民国家が始まったと思われていますが、じつはアメリカが最初だったのです。アメリカの独立戦争にはフランスも艦隊や兵士を送って協力しています。その経験がフランス革命にもつながっているのです。アメリカの独立とフランス革命という大きな歴史の転換の中から生まれたのが国民国家（ネイション・ステイト）だったのです。

これがなぜ世界中に影響を与えて、世界中がネイション・ステイトだらけになったかというと、国民国家は国民が社会契約によってつくった国ですから、自分たちの国は自分たちで守るということで、戦争に強かったからです。他人のものはだれも守る義務はないけれども、自分のものは自分が守る。この国民国家の仕組みが軍事的に非常に強力だったので、ヨーロッパ諸国に波及していきました。

ネイション・ステイトというのは、二百何十年かの歴史しかなくて、それ以前の世界を国民国家史で説明するのには非常に無理がある。

ところが、いま世界中にある国民国家は、自分たちの土地は昔から自分たちに与えられるために存在したというふうに言いたい。そうでないと、正統性がなくなる。そして、それが国家の歴史になるので、どうしても無理が出てきます。

アメリカはヨーロッパ文明への対抗文明として成立した

アメリカはヨーロッパ文明を否定しているというより、ヨーロッパ文明の対抗文明から始まっています。対抗文明とは、先ほど説明したものです。イギリス王を否定し、宗教的な迫害を受けたピューリタン（清教徒）たちがプリマス港に一六二〇年に入港してアメリカ建国の祖になったというピルグリム・ファーザーズも神話です。確かに少数派のキリスト教徒は来ていますが、それは非常に少ない人数です。結局は一旗揚げたい組、ヨーロッパでうまくいかなかった人たち、ヨーロッパから追い出された人たちが、どんどんやってきて成功していったのがアメリカン・ドリームになったのです。

アメリカに移住してきた人たちは過去のことは言わないというルールを、みんなで守りました。「私は実はフランスの貴族の出身で」などと言うと、アメリカではすごく嫌われます。自分の努力で一から成功してお金持ちになるのが、アメリカン・ドリームです。アメリカにはそれだけの豊かな土地があったから、いろいろな国からやってきた人たちが自覚的にアメリカ人になったのです。

だから、国民全体が共有する過去はありません。それでまるでモザイクのようだとよく言われるのです。つまり、日系でもアメリカ人だし、中国系でもアメリカ人です。日系人で日本語を話していてもアメリカ人になれるし、メキシコから来てスペイン語を話すヒスパニックでもアメリカ人にはなれる。

アメリカ国籍を取ればアメリカ人になれるわけですが、そのときには何が大事なのか。「アメリカという国に忠誠を誓います。アメリカのために働きます。アメリカのために戦争をします」と国家への忠誠が重要視される。それはアメリカ文明や歴史を共有するという文化ではない。つまりは国旗と憲法に忠実であるかどうかが問われているのです。

アメリカの勝手な思い込みを世界は容認せざるをえない

アメリカ独立戦争直後のフランス革命によって、アメリカとともに世界で初めての国民国家となったフランスには、過去のしがらみがたくさんありました。フランク王国以来の何百年もの歴史があって、地方ごとに異なった文化があって、それぞれが古い時代から仲がよかったかとか、仲が悪かったかとか、さまざまな因縁があって、「過去はご破算」にはならなかったからです。

ところが、アメリカだけは「過去をご破算にする」文化です。しかも困るのは、アメリカ人はそれが世界中、どの国でも同じだと思っていることです。世界の国は、みな国民国家（ネイション・ステイト）になったからには、アメリカと同じように考えるし、行動するものと思い込んでいる。アメリカには世界中から人が来て、自分から喜んでアメリカ人になったのだから、国家とはそういうものだという思い込みがある。

そのアメリカがいまは世界で一番軍事力があって、アメリカの考える理念がグローバリゼーションとして世界中を覆っているので、自分たちが特異だということに思いがいたらないところがあります。中東地域で混乱を招いているのも、アメリカ人の世界観や歴史観とイスラム文明がまったくかみ合わないことを、アメリカがわからなさすぎるのも一つの原因になっています。

日本もそうですが、アメリカ的な価値観をしぶしぶ受け入れている。ドル基軸通貨体制のなかで自由貿易によって成り立っている現在の世界では、アメリカの意向を無視できないので、彼らの言うことを聞いてあげているわけです。ところが、アメリカ人は自分たちのやり方のほうが正しい、民主主義が絶対だとしか思っていない。

アメリカ人は偉人伝を歴史だと思っている

アメリカには歴史がないという話をすると、アメリカから文句が来ます。アメリカ人は自分たちは歴史好きだと言います。それはどういうことか。アメリカでは「歴史history」という言葉は「誰でも知っている話」ぐらいの意味で軽く扱われる。偉人の伝記を、成功の手引と考える。彼らは偉人伝を歴史だと思っている。

それから、ギリシアやローマの考えも、ヘーロドトスの『歴史』も、たとえば私の専門のモンゴル帝国時代も、百科全書のように過去の用例集としていいとこ取りをしようと思っている。それぞれの土地に、古い時代から積もり積もった長い一〇〇〇年、二〇〇〇年の重みがあって因果関係がめぐるとは理解できなくて、あらゆる過去が、ベタに人間が経験してきた実例集だと思っているのです。それが日本人がアメリカとつきあうときに非常に苦労する点です。言っても、向こうにはわかってもらえない。

アメリカは常に現在であり、常に未来を向いている。国民全体が共有する過去がほとんどない。アメリカでは歴史はあってもなくてもいいもので、重要な文化要素になりえないのです。

それで、私たち日本人、あるいはヨーロッパ人に、いまの世界は古い時代からの積み重ねでこんなふうになってきたと言われると、「卑怯だ」と返す。

歴史に関心のないふつうのアメリカ人にとっては、歴史のある文明に属する外国人が、現在の世界を見る際に、同時に過去の世界まで視野に入れるのは、はなはだ異様に感じられる。過去はもう済んだことだからです。

アメリカ人はだから、バランス・オブ・パワーばかりを言うのです。「いまの世の中の人間関係と力関係で考えろ」。それが日本との貿易摩擦の一番大きな原因だったわけです。

アメリカ人が歴史を論ずる場合は、必ず現代世界とパラレルな関係として、前例として過去の出来事を引用するだけです。それゆえアメリカでは、過去を問う歴史の代わりに、現在だけを扱う国際関係論と地域研究が人気なのです。

アメリカで歴史のジャンルに入るのはギリシア文明とローマ帝国史ぐらいです。デモクラシーがいい例ですが、自分たちの文明はそこから来たとは思っている。しかし、それがどのように細かく影響して、積もり積もっていまのようになったかという長い時間軸については非常に鈍感なので、やはりこれは歴史のない文明に入るでしょう、というのが岡田英弘の意見です。

次章では歴史のある文明のそれぞれの世界観の違いについてご説明しましょう。

第3章

世界で初めて歴史をつくったヘーロドトス

自前の歴史を持ったのは世界でもたった二つの文明だけ

歴史という概念は、過去を時間と空間の両方から見ることができなければ、生まれることはありません。前述のように、インドやアメリカも実は歴史のない文明の国です。世界には、文明はあっても歴史という文化のないところがけっこうあるのです。

では、歴史という文化を非常に強く持った文明とはどのようなものなのか。世界には二つだけ、自前の歴史文化を持った文明があります。それが地中海文明とシナ文明です。

地球上で最初の歴史書と言えるのは、ヘーロドトスが紀元前五世紀にギリシア語で書いた『ヒストリアイ』です。

ギリシア語の「ヒストール」は「知っている」という形容詞で、それを動詞にした「ヒストレオー」は「調べて知る」という意味になります。名詞「ヒストリア」は「調べてわかったこと、調査研究」、複数形が「ヒストリアイ」です。ヘーロドトスには歴史を書いているという意識はなく、「私が調べてわかったことを書きました」という意味で、「調査・研究」という題名にしたわけです。

これが英語の「ヒストリー」、フランス語の「イストワール」の語源になりました。つまり、ヘーロドトス以前には、歴史を意味する言葉がギリシア語にもなかった。すなわちヘーロドトスがこの本を書くまで、「歴史」という考え方はなかったと言っていいのです。まさに「歴史の父」とヘーロドトスが呼ばれる所以です。

ヘーロドトスが『ヒストリアイ』で書いたことは、それからあと、現在に至るまで、われわれが過去を物語るときの基準、枠組みになりました。「ヒストリアイ」から生まれた「ヒストリー」を明治時代の日本人が「歴史」という漢字に置き換えたのです。

もう一つの歴史文化はシナの司馬遷が書いた『史記』ですが、司馬遷が『史記』を書くまでは「史」に歴史の意味はありません。「史」は文書係の役人という意味でした。『史記』の「史」に代々つながっていくという意味の「歴」をつけて「歴史」という二文字熟語をつくったのは実は日本人なのです。

ですから、前にも少し言及しましたが、日本人が歴史と言うときには、ヘーロドトスが『ヒストリアイ』で扱った過去を物語る枠組みによる歴史という考えがある一方で、漢字で書かれた『史記』以来のシナの歴史が同時に思い浮かぶ。ここで問題なのは、地中海とシナでは、歴史のとらえ方がまったく違うことです。枠組みが異なる二つの歴史をどのように考えるのかが、岡田英弘の『歴史とはなにか』や『世界史の誕生』の大テーマです。

まず、人類で最初の歴史であるヘーロドトスの『ヒストリアイ』は過去をどんなものと考えたのかについて、見てみましょう。

世界で最初の歴史書にはペルシア帝国の話が書かれている

『ヒストリアイ』はギリシア語で書かれています。紀元前五世紀ころの時代は、いまの英語のように、ギリシア語が地中海をとりまく地域の共通の言語であり文字だったからです。ヘーロドトスはギリシア語で書いたのだから、『ヒストリアイ』はギリシア文明の歴史を描いているのかというと、少し違います。『ヒストリアイ』に書かれているのはペルシア帝国の話ばかりなのです。

なぜなら当時のギリシアは、文明も文字もあるけれども、国としては領域も狭く、しかもアテナイやスパルタなどの都市国家に分かれていたからです。ペロポネソス同盟やデロス同盟といった、さまざまな都市国家同士の同盟はあったにしても、ギリシアとして大きな領域国家や帝国を形成していたわけではありません。現在のギリシアもあまり豊かとは言えませんが、当時も地中海沿岸に数多くの小さな都市が散在しているだけでした。当時、この地域で一番大きかったのはペルシア帝国だったのです。

もう一つ、結論を先に言っておきましょう。ヘーロドトスはなぜ『ヒストリアイ』を書こう

図5　地中海文明の歴史の父 ヘーロドトス

ヘーロドトスは、紀元前5世紀に、いまのトルコ共和国で生まれた。父は土着のアジア人、母はギリシア人だった。
ヘーロドトスはギリシア語で『ヒストリアイ』を書いたが、話の筋書きはペルシア帝国の発展に沿っている。

と思いたったのか。それは、紀元前四八〇年にギリシアの都市国家同盟がサラミスの海戦で大ペルシア帝国に勝ったからです。彼にとっては弱小なギリシアの都市国家がなぜ大国ペルシアに勝てたのか。それが不思議で仕方がなかったからです。

ペルシア戦争はなぜ起きたのか、ギリシアはどのようにして勝ったのか。ヘーロドトスはその理由を自分で確かめたいと思いました。ヘーロドトスは、エジプトなど行ける限りのところを旅行して、彼が見たことや経験したこと、他人から聞いた話に加えて、手に入れられるものはすべて読んで調べて書きました。だから、「調査・研究」なのです。

自分なりにペルシアとギリシアの戦争の原因を考え、なぜペルシアが負けてギリシアが勝ったのかということを整理した。それが『ヒストリアイ』のテーマであり、ストーリー（筋書き）です。

ヘーロドトスは序文にこう書いています。

「本書はハリカルナッソス出身のヘーロドトスが、人間界の出来事が時の移ろうとともに忘れられ、ギリシア人や異邦人（バルバロイ）の果たした偉大な驚嘆すべき事跡の数々——とりわけて両者がいかなる原因から戦いを交えるに至ったかの事情——も、やがて世の人に知られなくなるのを恐れて、自ら研究調査したところを書き述べたものである」

図6の地図を参照すればおわかりのように、ハリカルナッソスは小アジアと呼ばれる現在のトルコ共和国のアジア側にある町です。ヘーロドトスはこの町で、アジア出身の父と、そこに入植してきたギリシア人の母から生まれています。「ユーレイジアン」というのはヨーロッパとアジアの混血児という意味ですが、ヘーロドトスも血筋としてはアジアとギリシアつまりヨーロッパの混血です。

異邦人、すなわち「バルバロイ」は、「バーバリアン」の語源で、野蛮人と言われていますが、ギリシア語を話さない人たちという意味です。

図6　紀元前5世紀ヘーロドトスの時代のアジアとヨーロッパ

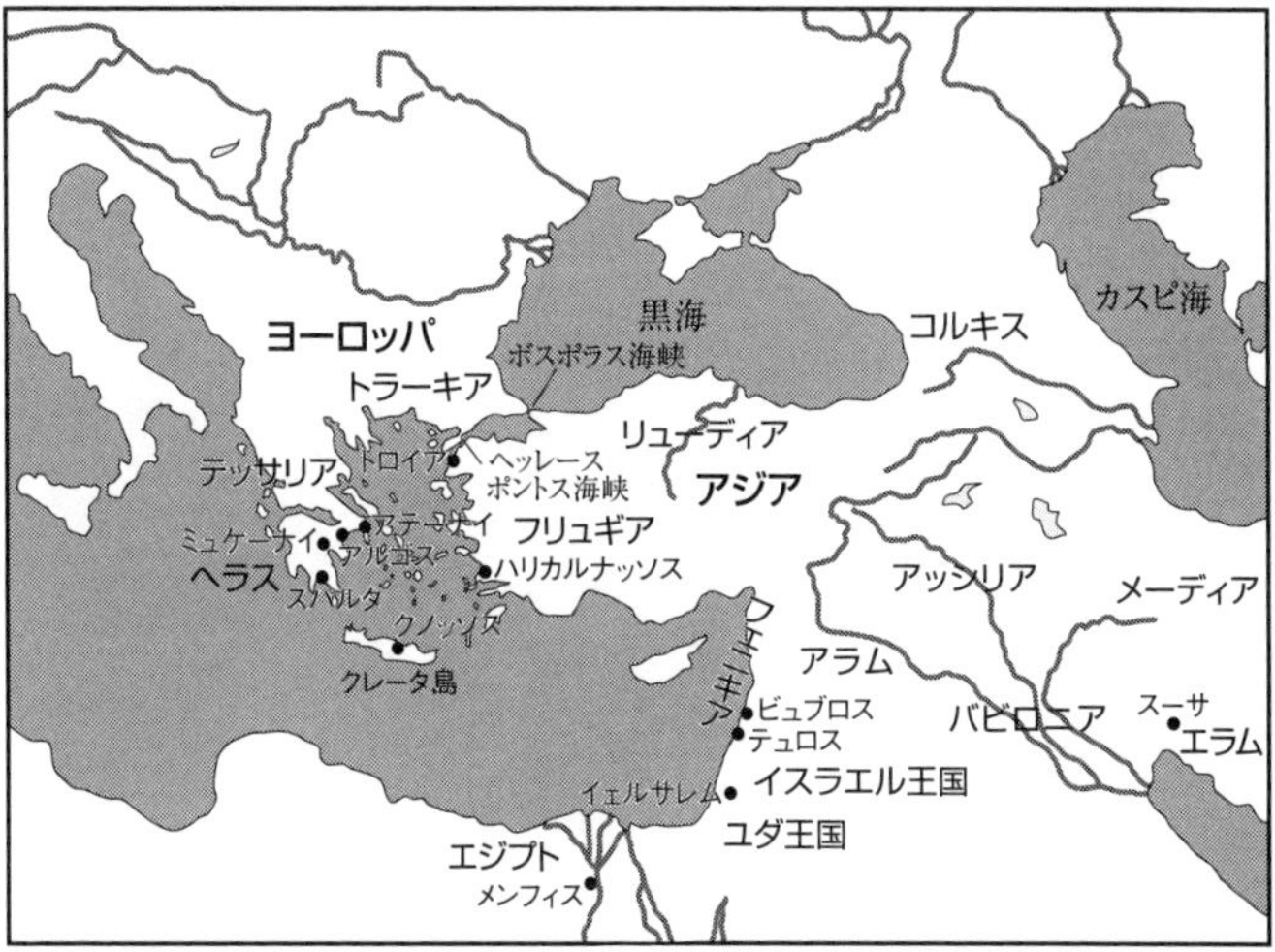

『ヒストリアイ』の発端は、ペルシア帝国のクセルクセス王が、アジア側からヨーロッパ側に渡ってきて、ギリシアの諸都市を征服しようとしたことにあります。これをギリシアはペルシア戦争と呼びますが、ヘーロドトスはこのペルシア戦争について書くために、その前にペルシア帝国がどのようにして大きな国になっていったのかを描きました。

　ペルシアによるエジプトの支配とか、中央アジアをどう支配したのか。ヘーロドトスの視線は、黒海からさらにユーラシア大陸の奥地まで届いています。この中央ユーラシアの平原には、遊牧騎馬民が羊や馬、牛を追って移動して暮らしていたと書かれています。ヘーロドトスは当時、彼が見聞できた限りの土地について書いています。それは、すなわちヘーロドトスの時代の人たちが世界と考えていた地域の話なのです。

彼が記録に残しておいてくれたおかげで、いまの私たちは、紀元前一〇〇〇年の遊牧騎馬民のことも知ることができます。彼らの遺跡や古墳が、黒海北岸や中央アジアや南シベリアから出土しても、それが何なのか特定ができるのはヘーロドトスのおかげなのです。

クセルクセス王の前代のダレイオス王が黒海の北岸にいたスキタイという遊牧騎馬民を征服するために戦争に行ったけれども、遊牧民のほうが強くてダレイオスは負けて引き揚げてきたといった話も遺しています。

ヨーロッパとアジアの対立という主題

そして、紀元前四八〇年、ペルシアのクセルクセス王が大軍を率いて、ヘッレースポントス海峡(現ダーダネルス海峡)を渡ってギリシアに攻め込みます。

ヘッレースポントス海峡は、地中海と黒海を結ぶマルマラ海の南端の細い海峡で、マルマラ海の北端の黒海への出口にあるボスポラス海峡は、現在のトルコ共和国のイスタンブルを東西に分けています。東側がアジアで、西側はヨーロッパなので、イスタンブルは町の中にヨーロッパとアジアがあるわけです。

ボスポラス海峡には、日本の援助でつくられた新しい橋ともう一本の橋の二つがあって、アジア側に住んでいるトルコ人がヨーロッパ側に働きにきて、夜はまたアジア側に帰るというように行き来しています。これらの海峡には、かつてはもちろん橋などかかってはおらず、クセルクセス王はダーダネルス海峡に大量の船を並べて舟橋をかけて渡ってきたのです。このペルシアの大軍をテルモピレーという場所で待ち受けたのが三〇〇名のスパルタ兵たちで、彼らは全滅します。

ペルシア戦争はこのテルモピレーの戦いから始まり、最後はサラミスの海戦でギリシアがペルシアを敗走させて終わりますが、では『ヒストリアイ』で、ヘーロドトスはペルシア戦争の原因を、どのように考えたのでしょうか。

ヘーロドトスは、黒海とエーゲ海を結ぶ海峡の東側がアジア、西側がヨーロッパで、アジアとヨーロッパの間で積み重なった恨みがペルシア軍のギリシア遠征の原因だと解釈しました。

アジアとヨーロッパの間では古くから恨みが積み重なった結果、最後にアジア側から大軍を率いたペルシア王がギリシアを倒そうとして攻めてきたとヘーロドトスは説明するのですが、その恨みの理由として次の四つを挙げています。

1　フェニキアの商船員がギリシアのアルゴスの王女イオーを誘拐してエジプトに連れ去った話。
2　ギリシア人がフェニキアのテュロスの王女エウローペーを誘拐したという話。
3　ギリシア人がコルキス（ジョージア）の王女メディアを誘拐したという話。
4　アジアのイリオス（トロイ）の王子アレクサンドロス（パリス）がギリシアのスパルタの王妃ヘレネを誘拐し、ギリシア人がアジアに進攻してイリオスを滅ぼした、トロイ戦争の話。

この四つの話はすべて女をさらった話です。しばしば女性は歴史を動かす役割を果たしたと言われますが、実はこれらはすべてギリシア神話からの引用で、史実ではありません。しかし、ペルシアとギリシアの戦争は、女の取り合いの恨みで起きたとヘーロドトスは書くのです。

一つ目の話は、フェニキア人の商船員がギリシアのアルゴスの王女イオーを誘拐して、エジプトに連れていったという話です。フェニキア人は船で地中海を東西に移動して商業活動をさかんにしていた交易の民です。フェニキア文字はいまのラテン文字アルファベットの起源になりました。この話はギリシアの王女がエジプトに連れていかれるのであって、正直に言うとヨーロッパとアジアの対立とは関係ないのではないかと思えます。

しかし、そのあと、今度はギリシア人がフェニキアのテュロスの王女、エウローペーを誘拐して、ギリシアに連れていきます。つまり、やり返したわけです。王女をさらわれたので、今度はフェニキアからさらったというのが二つ目です。このエウローペーがヨーロッパの語源になりました。

三つ目は、今度はまたギリシア人が、いまのジョージア、コーカサス地方のコルキスの王女メディアを誘拐する話です。

不老不死の黄金の羊を求めてコーカサスに行ったアルゴー号のギリシア人商船員が王女メディアと恋に落ちる。メディアは魔女で魔法が使えます。彼女は自分の父を裏切って、魔法を使って黄金の羊の毛皮を盗む手助けをし、アルゴー号の船員と一緒に自分の故郷から船出して逃げます。追っ手が追って来たときに、まだ幼い自分の弟を切り刻んで海に投げてそれで追い払うというたいへん残虐な話もある。ところが、ギリシアについたら恋人だったアルゴー号の船員が王に請われて王の娘と結婚してしまったので、メディアは怒って自分の子供を殺して去っていくという、激しい感情を呼び覚ます恐ろしい話です。

実はこれは神話です。この話が実際にあったかどうかはわかりません。しかし、ヘーロドトスは自分が調べたところ、こういう話があったらしいと書いたのです。

この話はそのあと、ギリシア悲劇の「王女メディア」になります。二〇一六年に亡くなった演出家の蜷川幸雄さんが、大竹しのぶさんをメディア役として舞台化しましたので、日本人にもおなじみになっているストーリーですが、非常に奥の深い、いま見ても人間の性《さが》や奥深い感情をかきたてられる物語です。これもヘーロドトスが『ヒストリアイ』で書いた物語だったのです。

四つ目は一番有名な話です。トロイのパリス王子が、ギリシアのスパルタの王妃ヘレネと恋に落ちて、ヘレネを誘拐してトロイに戻る。これがトロイ戦争の原因になったというのです。王妃ヘレネはパリスに誘拐されたことになっていますが、むしろ自発的に駆け落ちしてトロイまで戻っている。それで、スパルタがほかのギリシアの都市を誘ってトロイに攻め込んでトロイを滅ぼします。

トロイ戦争でギリシア軍が使った「トロイの木馬」の話は有名です。トロイの町は頑丈な要塞で囲まれていたために膠着《こうちゃく》状態に陥って、一〇年も包囲したのにトロイは落城しなかった。そこで、ギリシアは策略をめぐらせて、あきらめたふりをして、木馬を残して引き揚げます。ギリシア軍が引き揚げたと思って安心したトロイの人々は、木馬を城壁の中に入れてしまいます。実は木馬の中にはギリシア兵が潜んでいて、夜半密かに木馬から出て城門を内側から開けたので、トロイは落ちて、トロイ人は皆殺しになりました。

いまコンピュータウイルスで、持ち主の知らない間にコンピュータに忍び込んで外に情報を漏らす種類のものは「トロイの木馬」と呼ばれますが、これもヘーロドトスに由来するのです。

このトロイの遺跡をハインリヒ・シュリーマンが発掘したのは、二〇世紀考古学の大事件でした。このシュリーマンによる発見のドラマは、ヘーロドトスの『歴史』がいかにいまでもヨーロッパで大事にされているかを、見事に示す事柄と言えるでしょう。

トロイ戦争の話は、これまでに何度も映画になっていて、二〇〇四年にもブラッド・ピット主演の映画が公開されています。ギリシア神話とヘーロドトスに題材を取った映画はずいぶんたくさんつくられていて、先ほどの「王女メディア」は『アルゴ探検隊の大冒険』として、一九六三年にたいへん初歩的な特撮で製作されています。私も見たことがありますが、まだCGがない時代なので、魔法を使う場面や竜の爪の動きなどがぎくしゃくしていましたが、とても面白い映画でした。「王女メディア」は一九六九年にもオペラ歌手のマリア・カラスがメディアを演じるイタリア映画がつくられています。

ペルシア軍がギリシアに押し寄せてきたテルモピレーの戦いは、前述のように三〇〇人のスパルタ兵が全滅する話ですが、二〇〇六年に『300（スリーハンドレッド）』というタイトルで映画化されています。ヨーロッパ人のみならずハリウッドの映画人たちはいまでもヘーロドトスを愛読しているらしく、ギリシア神話とヘーロドトスの書いた歴史が、いかにビビッドに感じられ、いまもなお世界中の人たちにこんなに多大な影響を与え続けている、というのは驚くべきものです。

変化と対決の歴史が、地中海＝西ヨーロッパ文明の歴史文化になった

さて、ヘーロドトスの『ヒストリアイ』は、いまの世界にこれほど大きく影響していますが、その中には大事なメッセージが三つあります。

その一つは、世界は変化するものであり、その変化を語るのが歴史であるということです。ヘーロドトスは、「かつて強大であった国の多くが、いまや弱小となり、私の時代に強大であった国も、かつては弱小であった。されば人間の幸運が決して不動安定したものでない理《ことわ》りを知る私は、大国も小国もひとしく取り上げて述べてゆきたいと思う」と序文で書いています。

いまは小さな国が大国に成長し、いまは巨大な帝国もいずれ滅びていく。国も人間と同じで、生まれて幼年時代をへて成長して壮年となり、やがては年老いて死ぬ。ヘーロドトスは各地を調査研究して彼が見たままを記録したわけですが、そこに描かれたのは国家の盛衰だったのです。

二つ目は、世界の変化は政治勢力の対立・抗争によって起こるということです。

もう一つ、二一世紀のアジアに生きるわれわれにとってもきわめて重大な問題は、ヨーロッパとアジアは永遠に対立する二つの勢力だとヘーロドトスが書いたということです。

ヘーロドトスは古い資料を調べた中から、ギリシア神話で女が誘拐されたことと、ギリシアとアジアがお互いに恨みを持っていたことなどを知りました。本当はもっと数多くあるにせよ、それらを選んで非常にわかりやすく書いたので、ヨーロッパ人にとって歴史といえば、政治勢力の対立、抗争によって起こるものという考えが根づいたのです。

つまりヘーロドトスが描いたのは、

1　世界は変化するものであり、その変化を語るのが歴史である。

2　世界の変化は政治勢力の対立・抗争によって起こる。

3　ヨーロッパとアジアは永遠に対立する二つの勢力である。

この三つのストーリーですが、その後も地中海文明とそれを継承したヨーロッパ文明、さらにはグローバリゼーション下のいまの世界で、この考え方によって歴史が書かれることになったのです。

ヘーロドトスのアジアと現在のアジアとはまったく異なる

当時、ヘーロドトスが描いたアジアというのは、実際にはいま小アジアと呼ばれているトルコ共和国のあるアナトリア半島でした。彼がヨーロッパと呼んだのはいまのギリシアがあるほんの一部分で、ヨーロッパとアジアは海峡を挟んだ両岸だけでした。

ところが、一三世紀末にルネサンスがイタリアから始まると、それがアルプス山脈を越えて、現代のフランスやイギリスやドイツの文明につながります。ルネサンスとは、キリスト教文明に覆われた長い中世を終えて、ギリシア・ローマ時代に戻ろうという文芸復興運動です。いまの西ヨーロッパに住む上流階級の人たちは、こぞってイタリアに留学し、ギリシア語もラテン語も勉強して、自分たちこそがヨーロッパ人で、ギリシア・ローマ文明を継承したと主張するようになりました。

ヘーロドトスの時代、現在のヨーロッパはギリシア文明とは何の関係もありません。それが、ルネサンス以後、ギリシア・ローマ文明を受け継いだのはわれわれだと、いまのヨーロッパ諸国の人たちが言い出すのです。

そのあと、大航海時代が始まり、ヨーロッパ人は大挙して世界に出ていきます。そして、ヘーロドトスの言ったアジアの向こうがずっと陸続きであることを発見するのです。

最初、アジアは、いわゆる中近東、シリア、イラク、イランぐらいを指したのですが、やがてインドもアジアと呼ばれるようになりました。インドからもずっと陸がつながっているので、最終的には、いまの中国から日本までアジアと呼ぶことになりました。ただし、これはヨーロッパ人がヨーロッパでない地域をまとめてアジアと呼んだのであって、日本は幕末になって

「へえー、自分たちはアジアと呼ばれているのか」と知るのです。

ヨーロッパ対アジアというのは、ヘーロドトスのときには同じぐらいの大きさの地域だったかもしれませんが、次頁の図7を見ればわかるように、その後、旧大陸の中のヨーロッパでない部分すべてがアジアになったのです。アジアは自称ではなく、他から呼ばれた名前です。

EUの統合が危ぶまれている昨今ですが、その前身のECができたころ、ヨーロッパが共同体をつくって一つになったのだから、アジアも一つにならなくては、と日本人の中でも深く考えずにあおった人がいました。しかし、それはまったく歴史を知らない勝手な言い分です。

アジアが一つというのはスローガンとしてはいいかもしれません。でも、世界四大文明のうちの三つがアジアにはあります。たくさんの古い文明があって、たくさんの言葉があって、まったく違う歴史を歩んできたものが一つになれるでしょうか。

それはあくまでもヨーロッパ中心史観にすぎません。したがって、われわれはアジアが一つでないといけないという強迫観念にかられる必要はまったくありません。

イギリスやドイツがあとから自分たちがヨーロッパだと言い、われわれに対してアジアと名前をつけた。それもヘーロドトスのつくった枠組みです。ヘーロドトスの枠組みは紀元前五世紀のものなのに、二五〇〇年たったいまも無理にそれを広げて当てはめているので、合わなくて当然です。

（点線は「図6 ヘーロドトスの時代のアジアとヨーロッパ」59頁）

図7　21世紀現代のユーラシア大陸におけるアジアとヨーロッパの境界

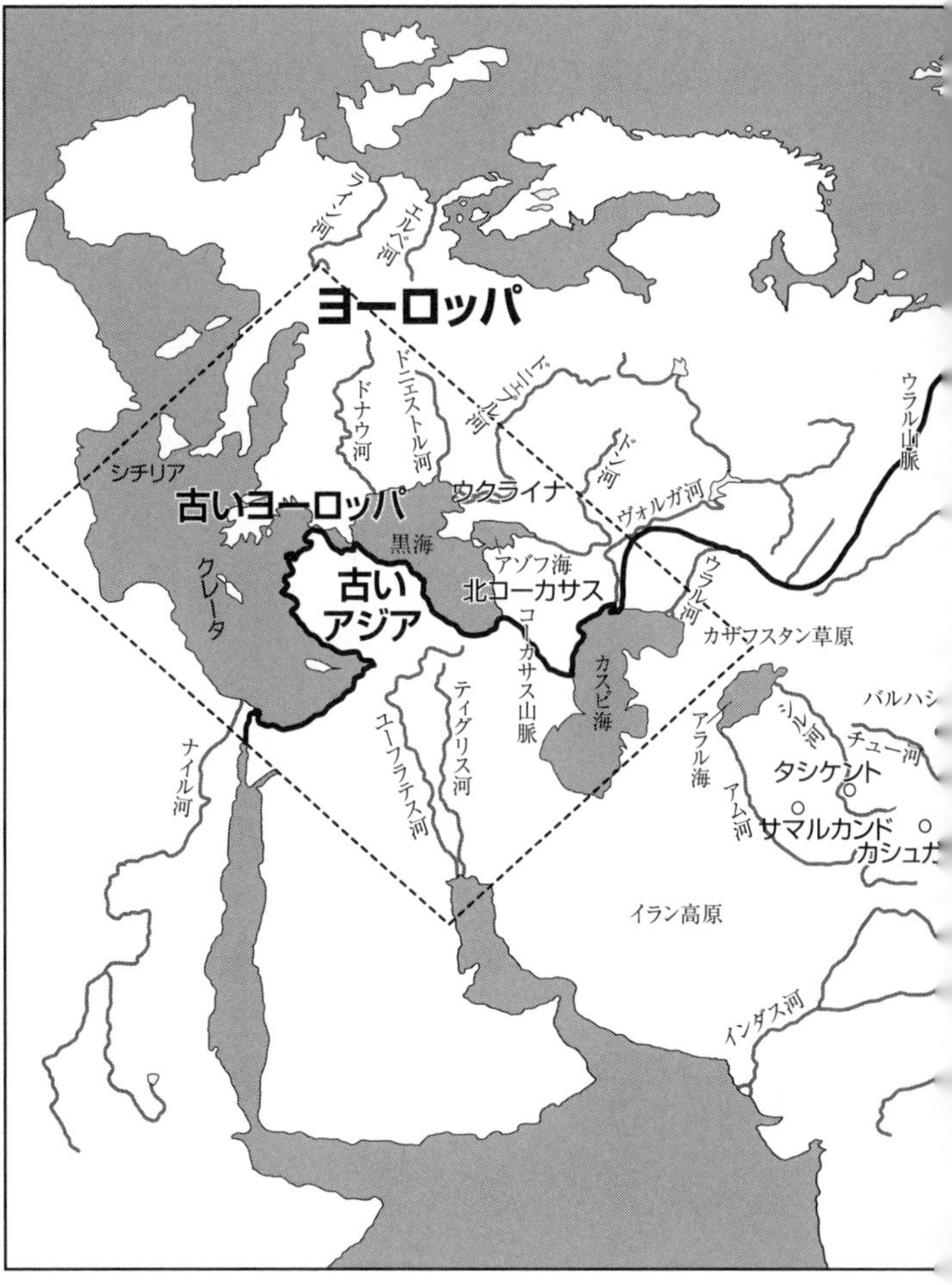

ヨーロッパはキリスト教文明も含めて共通のものが多いけれども、彼らがヨーロッパでない部分をアジアと呼んだからといって、はたしてアジアに共通なものはあるだろうか。結局、ヨーロッパでない土地という意味にすぎない。アフリカやアメリカでない場所、そういう意味だということをわれわれはぜひ認識したいと思います。

ヘーロドトスの枠組み、ヘーロドトスの世界観は、実はヨーロッパ人には非常に深くしみ込んでいて、それを学んだ日本人もそのことを前提条件として無意識に受け取っていますが、もう一度合う部分と合わない部分を考え直さなければいけないでしょう。

オリンピックの起源にもヨーロッパ対アジアの対立があった

ヘーロドトスの『ヒストリアイ』が、いかにいまの世界に大きな役割を果たしているか。オリンピックの目玉競技であるマラソンもその一つです。マラソンという競技はいかにして生まれたのか。

よく知られているように、近代オリンピックは、クーベルタンという人が提唱しました。近代になって戦争が絶えないから、ヨーロッパをなんとかまとめたい。昔、ギリシアの都市国家が戦争ばかりしていたころ、オリンピックのときだけは戦争をやめて、みんなで代表を出して競技をした。あの競技をもう一度やろうじゃないか、というのが、近代オリンピックの始まりです。

そのときに何か目玉の競技をつくろうというので思い出したのが、ペルシアがギリシアに攻めてきたときの戦争の話でした。マラトンという野原で大決戦があった。このとき、ギリシアのほうは本当に人数が少なかったが、ペルシア軍は大軍だった。しかし、結局ギリシアの都市同盟が勝ちました。

それで、アテナイから参加していた兵士が、心配して待っている故郷の人になんとか勝利を早く知らせなければいけないというので、走って走って走りました。四二・一九五キロではないのです。たぶん四〇キロぐらいか、もう少し少なかったかもしれません。

走り続けて、アテナイの城門まで来て、ギリシア軍の勝利を告げたあと、兵士は死んでしまいました。そういう物語がヘーロドトスの『ヒストリアイ』に書いてあるのです。これを記念にしようということで、マラソンが始まる。

ですから、オリンピックのマラソンというのは、実はヨーロッパがアジアに勝った記念の競技です。われわれは喜んで参加していますが、本当はアジアを敵視し、ヨーロッパをまとめるための競技であって、決して世界のためではなかった。

そういう記念の競技に、われわれは大人らしく参加するのはいいけれども、あれはヨーロッパをまとめるための競技だったということも副産物として考えていただきたい。つまり、歴史はいろいろな方向から見る必要があるのです。

オリンピックでは、ギリシアの女神の恰好をした人たちがギリシアで火をおこして、それが聖火ランナーによって世界中を回って開催地に到着します。これもやはりヘーロドトスに始まるということです。

これは余談ですが、マラソンが四二・一九五キロになるのは一九二四年の第八回以後ですが、その理由というのが、一九〇八年に第四回大会がロンドンで開催されたとき、アレキサンドラ王女がスタートを見たいと言ったので、ウインザー城の芝生がスタート地点になり、このときの正確な距離を測ったのが始まりだそうで、それ以前は適当な長さでやっていたという話です。

第4章

キリスト教文明が地中海文明に加わった

ヘーロドトスの考えた世界は対立と抗争によって動く

ヘーロドトスは、歴史は世界の対立・抗争によって起こる変化を語るものであると言いました。アジアとヨーロッパがその対立する二つの文明であると考えたのです。ヘーロドトスから始まったこの地中海文明の歴史観は、のちにキリスト教の考え方から大きな影響を受けることになります。地中海文明の歴史観にキリスト教文明が加わることになったのです。とりわけいまのヨーロッパ人の歴史観に大きな影響を与えたのは、『新約聖書』の「ヨハネの黙示録」です。

「ヨハネの黙示録」の詳しい説明はあとにしますが、簡単に言えばサタンの軍勢と主の軍勢の間に最終戦争が行なわれ、主の軍勢が勝利して世界が終わるという終末思想です。世界最終戦争ではイエス・キリストが現れて主の軍勢を率い、イエス・キリストを信じる人たちだけが救われて、キリストを信じなかった人たちは悪魔の池に投げ込まれる。

キリスト教文明を取り入れたあとのヨーロッパ人は、自分たちこそが主の軍勢であり、正義であり、アジアはキリスト教を信じていないから悪魔の側であるという考え方になります。きわめてシンプルな善悪二元論です。簡単で子供でもわかる理屈ですから、キリスト教世界に深く浸透していきました。

かつてはギリシアだけがヨーロッパで、いまトルコ共和国のある小アジアだけがアジアでした。ところが、紀元三一三年にローマ帝国のコンスタンティヌス帝がキリスト教を公認したあと、キリスト教がローマの国教となって、北方のドイツのほうまでキリスト教文明を取り入れたために、ヨーロッパが拡大します。キリスト教文明のヨーロッパにとって、アジアは敵であり、悪魔の軍勢であるとみなすようになったのです。

一一世紀にはカソリックのローマ教会の呼びかけで十字軍運動が始まり、ヨーロッパ諸国の兵隊がイェルサレムを攻め、イスラムを敵として虐殺したりします。

さらに、一六世紀に大航海時代を迎えて世界中に進出したヨーロッパ人たちは、ヨーロッパ以外のアジア、アフリカ、アメリカの人々を大量に殺戮しています。キリスト教徒以外は悪魔であり、人間ではないのですから、いくら残虐な行為をしてもかまわないと考えたからです。

キリスト教の善悪二元論の起源はペルシアのゾロアスター教

世界を二つの勢力の争い、つまり「善と悪」「天使と悪魔」の対立構造として見るというこの思想は、もともとはキリスト教というよりもゾロアスター教にあった考え方でした。ゾロアスターはいつ生まれていつ死んだのかもわからない、非常に古い時代の人です。ゾロアスター教はペルシアの宗教ですが、それがペルシア帝国の支配下にあったユダヤ人の宗教に入り、ユダヤ人として生まれたキリストの中に入り、やがてヨーロッパに伝わるという複雑な形をたどりました。しかし、実際には現在のヨーロッパ文明に非常に大きな影響を与えています。

ゾロアスター教は善悪二元論からできています。良い者と悪い者の対立です。非常にわかりやすく人口に膾炙《かいしゃ》しやすい考え方ですから、ヨーロッパからアメリカに伝わって、ハリウッド映画の基本的骨格になっています。かつての西部劇では、白人が正しく、インディアンは悪者でした。第二次世界大戦ものでは、ドイツと日本だけが悪者として描かれました。最近は日本もドイツもアメリカの同盟国ですからそう悪くは描けませんので、地球人が正しく、宇宙人は悪いという映画に姿を変えましたが、そういう非常にわかりやすい善悪二元論の映画をつくってきた源流には、やはりキリスト教文明があるのです。

日本にはキリスト教が浸透することはなく、その影響は少なかったのですが、いまのようにヨーロッパの近代文明を中心とするグローバリズムの時代のなかでは、私たちもこの問題をもっと真面目に、真剣に考えなくてはいけません。

キリスト教文明に影響を与えたユダヤ教

キリスト教文明とユダヤ人の話は単純ではありませんが、聖典に『旧約聖書』と『新約聖書』の二つがあることはみなさんご存じでしょう。『旧約聖書』は実はユダヤ教の聖書です。だから、ユダヤ人自身は旧約とは言いません。ユダヤ人にとっては、これこそが聖書そのものだからです。いわゆる『新約聖書』と呼ばれているものは、ユダヤ人の予言者の一人であるキリストの言行と受難の物語がほとんどで、もっとも歴史に影響を与えたのは、先ほど言った「ヨハネの黙示録」です。

では、『旧約聖書』は歴史ではないのでしょうか。

『旧約聖書』の内容についてはハリウッド映画などの題材としてよく使われていますから、映画を通して私たち日本人にもなじみがあります。モーセがユダヤ人たちを連れてエジプトから逃げるときに海がまっ二つに分かれる映画『十戒』のシーンなどは有名です。

ノアの箱舟の話も映画化されています。大洪水が起きると神からのお告げを聞いたノアが、一つがいずつの動物を舟に乗せて、洪水が引いたあと、彼らが再び世界中に広まったという話です。

もっとさかのぼれば、神が六日間で世界を創造して、七日目にお休みになったという話もあります。この話が一週間は七日で日曜日が安息日という、現在のカレンダーのもとになっています。いかに聖書が現在の世界の文明に大きな影響を与えているかということです。

実はこれらすべてがもともとユダヤ人の話だったということを忘れてはいけません。いまヨーロッパの基礎はキリスト教文明ですが、そのキリスト教文明の中のユダヤ人とはいったい何なのか。

ユダヤ人はもともと自分たちの聖書なのだから、七日目に休んだ神様もユダヤ人のものだったと言います。ただ、彼らの休日はいまは日曜日ではない日を休日にしているので、キリスト教とは違う宗教だと思われています。

ところで、『旧約聖書』はヘーロドトス『歴史』よりも一四〇年ほど前に書かれていますが、歴史書とは言えないのでしょうか。

岡田英弘の本は、ユダヤ人の運命についてはあまり書いていませんが、キリスト教に入ったゾロアスター教の影響について説明するなかで、ユダヤ人が果たした非常に大きな役割について言及しています。

岡田英弘著『世界史の誕生』では、『旧約聖書』は歴史のように見えるけれども、ヤハヴェの神とイスラエルの民との間の契約関係しか書いていないから、世界史ではないと言います。

すべてユダヤ教という宗教のためにできた物語だから、『旧約聖書』自体はヨーロッパの歴史観にはたいして大きな影響を与えていないと結論づけています。

ユダヤ教の経典でもある『旧約聖書』の歴史観

『旧約聖書』の主要部分は、前七世紀末のパレスティナのユダ王国で成立しました。パレスティナの語源は、海上から来て海岸地帯で農業をしていたペリシテ人からきています。前一三世紀初め、北アラビアの砂漠から出て来たヘブル人は、最初はこのペリシテ人の支配下にあった遊牧民集団でした。

最初に海から入ってきた人たちがペリシテ人で、この人たちが住んでいたところに砂漠の遊牧民であるヘブル人が入ってきた。いまはパレスティナがイスラエルによって占領されていますが、イスラエルよりもパレスティナのほうが歴史が古いのです。そういう順番です。

歴史というのは古くから名前のあるほうに優先権がある、占有権が生じます。国際政治では現状維持（スティタス・クオ）が非常に重要視されていますが、文書で「昔、ここに住んでいた。私はその子孫だから権利がある」とあれば、それを証拠に採用して国際紛争を公平に収めようという意識がとても強い。だから、パレスティナという名前を持ったこと自体が、われわれにはユダヤ人よりももっと古い権利がある、『旧約聖書』の時代から名前があるんだという主張になるのです。

ユダヤ人というのはどういう人たちだったのか

前一一世紀末、ヘブル人の十二部族が統一されてイスラエル王国が建国されます。このときに十二部族が結んだ同盟の契約を監視する神として選ばれたのがヤハヴェ（エホバ）でした。

このときヤハヴェは唯一神ではなかった。イスラエル人はまだ一神教徒ではありませんでした。ギリシアも神話に見られるように多神教ですし、エジプトにもたくさんの神様がいた。イスラエルにも十二部族ごとに神様がいました。

そのあと、ユダ部族出身のダビデがイスラエル王となり、ペリシテ人を撃破してイェルサレムに都を定め、ダビデの息子のソロモン王はヤハヴェの大神殿を建設しました。ダビデ王やソロモン王の話は、ヨーロッパ人は大好きなので、多くの絵画の主題になっています。

ソロモン王の死後、王国はダビデ家に忠実な南部のユダ王国と、北部のイスラエル王国に分裂します。二〇〇年たった前七二〇年、北部のイスラエル王国がアッシリア帝国に滅ぼされ、北部の十部族の人々は帝国の各地に移住させられて消滅します。イェルサレムのユダ王国だけが残りました。

前六二七年にアッシリア帝国が滅亡すると、ユダのヨシヤ王は北部を奪い返します。前六二一年、イェルサレムのヤハヴェ神殿の修復を行なったときに、神殿から「申命記」の写本が発見されました。

その写本には、「イスラエルの民はヤハヴェ神と契約を結び、ヤハヴェ以外の神々を信仰しないと誓ったのに、契約に背いたので、ヤハヴェはイスラエルに対して怒っており、罰としてイスラエルを滅ぼそうとしている」と書かれてありました。本来は部族同盟の契約であったものが唯一神との契約にすり替えられたわけですが、ヨシヤ王はこの新解釈を文字通りに受け取った。「ヤハヴェを唯一神として信じなかったから私たちは滅ぼされた。これからは心を入れ替えて、ヤハヴェだけを信仰します」として、ヤハヴェ以外の神々の祭壇や神像を破壊したのです。こうしてユダ王国で、人類の歴史上初めて一神教の王国が誕生することになったわけです。

バビロン捕囚により、ユダヤ人のアイデンティティが始まる

『旧約聖書』の「創世記」に書かれているイスラエル人の始祖アブラハムがヤハヴェ神と出会

う物語、「出エジプト記」のモーセがヤハヴェ神から契約の石の板を授かる物語などは、すべてこのあとで作られたものです。

『旧約聖書』の律法（トーラー）の書と預言者（ネビイーム）の書は、古い時代について語っているので、一見、歴史のように見えます。しかし、前述したように、本当の主題は終始一貫、ヤハヴェ神とイスラエルの民との間の契約関係だけで、神学ではあっても歴史とは言えないのです。よしんば一種の歴史だということにしても、せいぜい国史で、それもひどく偏った、空想的な国史としか呼べるものではありません。

ヨシヤ王の一神教改革のわずか三五年後、新バビロニアのネブカドネザル王がイェルサレムを攻め落とし、ヤハヴェの神殿を破壊し、ユダ王国の民をバビロニアに連れ去りました。これはバビロン捕囚として有名ですが、バビロニアに移されたユダ王国の民は、捕囚の中でも種族としての独自性を持ち続けるのです。

四八年後の前五三八年、新バビロニア帝国を滅ぼしたペルシアのキューロス王がユダ王国の遺民を解放したので、彼らはイェルサレムに戻ってヤハヴェ神殿を再建します。ヤハヴェを信仰する者がユダヤ人であるというアイデンティティは、実はこのバビロニアに捕囚されていた時代に始まるのです。

それから、ペルシア帝国の支配下に暮らしたユダヤ人は、マケドニア人に支配されたあと、前一四〇年に独立を達成します。ところが、前六三年にはローマの属国とされます。さらに紀元四四年にユダヤ王国は廃止されて、ユダヤはローマの属州になる。ユダヤ人が何度も反乱を起こしたあと、紀元七〇年、ローマ軍はイェルサレムを占領、ヤハヴェの神殿は破壊されました。

一三二年にユダヤ人が一斉蜂起したとき、ローマは、三年かかってこの反乱を鎮圧したあと、ユダヤ人のイェルサレム立ち入りを禁止します。戦闘で五八万人のユダヤ人が殺され、無数の人々が飢餓や火災で死に、残ったユダヤ人は奴隷として海外に売られ、属州ユダヤは名称をパレスティナに変更されました。それからようやく、ユダヤ教への組織的迫害は停止され、ラビの努力で法規解釈の集大成「ミシュナ」が完成します。二〇〇年後、一年に一度だけユダヤ人がイェルサレムの城壁の前に集まることを許されることになりました。

ユダヤ人がユダヤ人であり続ける理由はユダヤ教にある

皆さんは不思議だと思われるでしょう。ペルシア帝国やマケドニア帝国の支配下に入り、ローマの属州となっても、なおユダヤ人であり続けた理由は何なのか。それはヤハヴェへの信仰、それだけなのです。

それ以前のイスラエルには、ヤハヴェ以外にも神様がたくさんいました。そうすると、連れ去られた人たちはその土地の神様となじんでしまって、その土地の人になってしまった。

ところが、ヤハヴェだけを唯一神として信仰するようになったあとのイスラエルの人たち、これがユダヤ人なわけですが、この人たちはそれから以後、どのような国の支配下に入ろうが、奴隷になろうが、私はユダヤ人であるという、いまで言うアイデンティティをなくすことはなかった。

あまりにも強固にユダヤ人であると主張したために、彼らはその後ずっと迫害を受け続けます。ローマはヘレニズム世界を継承して、一つの文明を享受し、あの広いローマ帝国のすべてが緩やかな連合体になり、のちにはローマ皇帝を自分たちの君主として認めて帝国として繁栄しました。物資が各地に流通して人々は豊かになり、文明としても発展していきます。ところが、ユダヤの属州だけは反抗し続けました。迫害されてもなぜユダヤ人は反抗し、ユダヤ人であることをやめないのかと、日本人なら思うでしょう。

ユダヤ人をどう定義するかというと、一つの定義に、ユダヤ人の母から生まれた子供は全員ユダヤ人だというものがあります。これは、女性がレイプされてもユダヤの血は途絶えないということです。それぐらいひどい目に遭ってきたわけです。

また、自発的にユダヤ教の信仰を受け入れた人は、どんな血筋でもユダヤ人になる。ユダヤ

図８　ローマ帝国領とユダヤ属州

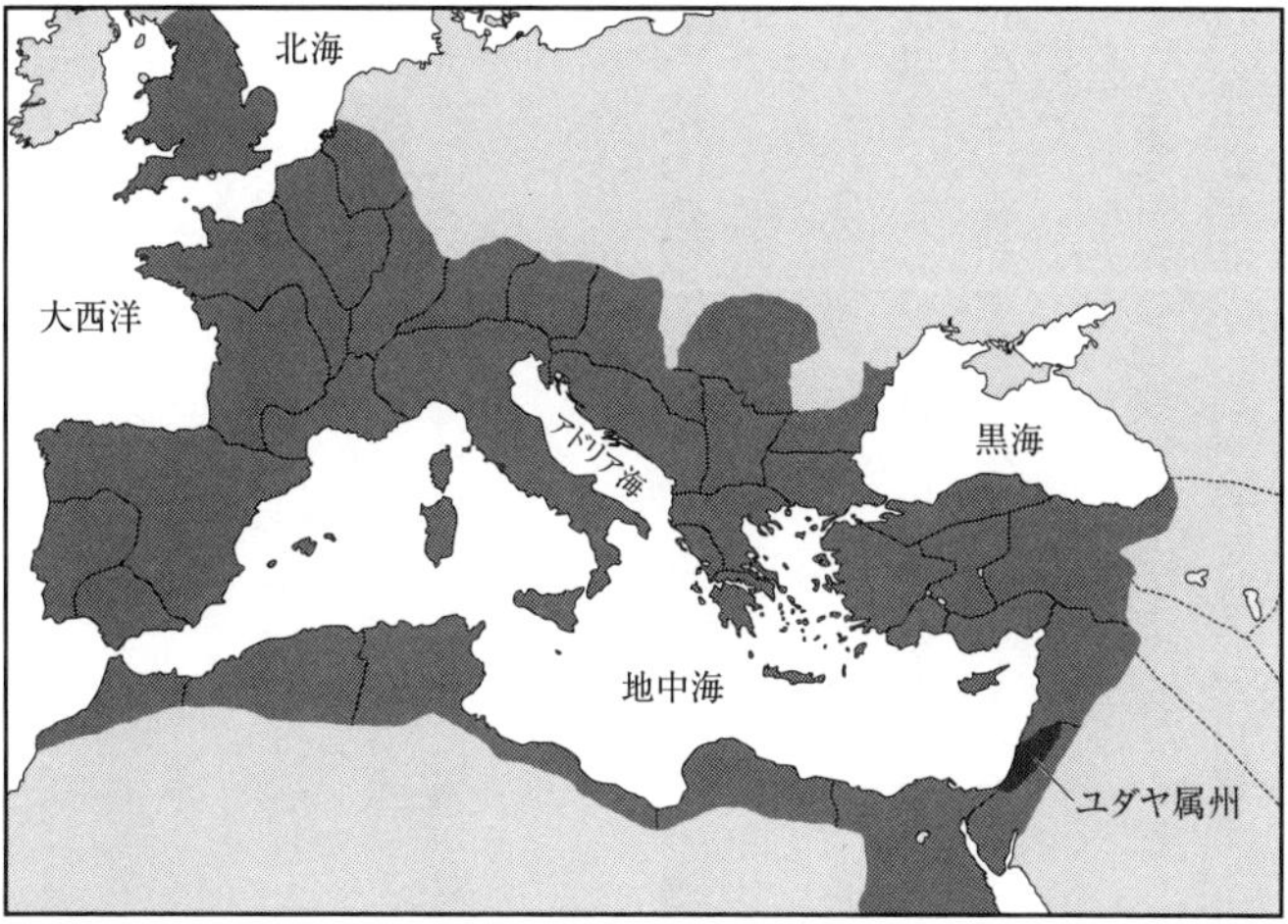

人は人種概念ではないからです。第二次世界大戦が終わってイスラエル国家を樹立したあと、世界中からユダヤ人の参加を呼びかけたら、真っ黒な人やアラブ系の人などさまざまな人たちがやってきて、現地で受け入れた人たちが驚いたというくらいです。

だから、自分でユダヤ人になる人がユダヤ人なのです。いまでも、ユダヤ人をやめるのは自由です。それだけ神との契約を大切にする人たちなのです。神と約束をしたからには、試練は神から与えられるものだから、かまわない。苦労すればするほど神様に認められていると思う人たちなのです。だからユダヤ人は自分という実感が強いのです。与えられたものではなく、自らが選び取っているからです。

そういうわけで、ユダヤ人から見れば、神様はエホバだけ、ヤハヴェだけと決めたのに、皇帝を拝むわけにはいかなかったのです。皇帝の銅像などは異教徒の悪魔だとなる。このために本当に迫害を受け続けました。

そして、ローマ帝国に迫害されていたときに「ヨハネの黙示録」が生まれた。だから、「ヨハネの黙示録」というのは、実はユダヤ人の運命をうたったものであって、ローマに対するユダヤ人の憎悪が最高潮に達したときに書かれているために、たいへん激烈な表現になっています。

「ヨハネの黙示録」は本来ユダヤ人の物語だった

「ヨハネの黙示録」のストーリーをかいつまんで説明してみましょう。

世界は主なる神と悪の化身のサタンの二つの神様の戦場で、この世の終わりの神の怒りの日に、主なる神の御使いが、イスラエルの十二部族のそれぞれから一万二〇〇〇人、すべてで一四万四〇〇〇人の神の僕《しもべ》らの額に、生ける神の印を押す。七つの災いが次々起こって世界を滅ぼす。主なる神の御使いたちとサタンの使いたちが戦って、サタンが敗れる。イエス・メシアが白い馬に乗り、天の軍勢を率いて出現する。

図9　「最後の審判」の絵（部分）

バチカンのシスティナ礼拝堂に描かれたミケランジェロの傑作

一人の御使いが天から降りてきて、悪魔であり、サタンである龍、すなわち年を経た蛇をとらえて一〇〇〇年の間つなぎおき、そのあと、底知れぬところに投げ込んで封印し、一〇〇〇年の期間が終わるまで諸国民を惑わすことがないようにしておく。このとき、イエスの証をして首を切られた人々や、ローマ皇帝を拝まずに迫害を受けた人々が生き返って一〇〇〇年の間、楽しく暮らす。

そのあと、第二の復活があって、あらゆる死人は神の御座《みくら》の前に裁かれ、いのちの書に名が記されていない者、イエスをメシアと認めないユダヤ人は皆、死と黄泉《よみ》とともに火の池に投げ込まれて、第二の死を受ける。古い天地は消え去り、新しい天地の中に聖なる都、新しいイエルサレムが天から降り、日や月の代わりに神の栄光に照らされて、神の僕たちが世々限りなく支配する。

これが最後の審判です。バチカンにあるミケランジェロの「最後の審判」の絵（図9）で、真ん中にいるイエス・キリストが上と下に手を挙げているのは、おまえは天国だ、おまえは地獄だと指し示しているのです。

この「ヨハネの黙示録」の善悪二元論は、ユダヤ人がバビロンに囚われていた間にイランのゾロアスター教の影響を受けて、このような考えを自分たちの中に入れるに至ったと考えられます。つまり「ヨハネの黙示録」は本来ユダヤ人の書だったのに、キリスト教が聖書のなかにそのまま取り入れてしまったために、キリスト教徒にとっても運命の書となってしまったわけです。

イスラム教徒よりも憎まれたユダヤ教徒

キリスト教徒が残酷だと思うのは、ユダヤ人のバイブルだった聖書を取り上げて自分たちの『旧約聖書』としたことです。それなのに、ユダヤ人はキリストを売った裏切者だということにしてしまった。

ユダヤ人を迫害し続けていたはずのローマ帝国では、キリスト教の布教が広がって、『新約聖書』がコイネー（共通ギリシア語）で書かれ、『旧約聖書』もギリシア語訳されるようになります。キリスト教は、唯一神であるエホバだけを信仰して皇帝礼拝を拒否したユダヤ人の中から生まれた宗教ですが、ヘレニズム文化を受け入れ、ユダヤ人以外でもキリストさえメシアと認めた人は皆、キリスト教徒だという風に世界宗教化していきました。

やがてローマ帝国の属民、臣民たち非ユダヤ人の間でキリスト教の布教が拡大し、ローマ帝国内でキリスト教徒が増えていったために、ローマ帝国はコンスタンティヌス帝の三一三年にキリスト教を公認。テオドシウス帝は三九二年にキリスト教を国教とするようになりました。

当初はイエス・キリストやペテロは、ユダヤ教の中の異端派でしたが、キリスト教のほうが大きくなると、「ユダヤ人はキリストを迫害した」と言って逆になります。ずいぶんあとのことになりますが、第一次十字軍が始まった一〇九六年には、いまのドイツのラインラントにいたユダヤ人をまず虐殺してからイェルサレムに進軍したと言われます。つまり、キリスト教徒はイスラム教徒よりもユダヤ人のほうが憎かったのです。

キリスト教が国教となったために、ユダヤ教は邪悪な宗教とされ、古いもとの宗教にこだわるユダヤ人を近親憎悪のように憎み迫害するようになります。

キリスト教国となったローマ帝国は、ユダヤ人が安住できる土地ではなくなっていきました。そうなると、彼らは新しく興ったイスラム圏に移っていかざるをえない。七世紀から一三世紀には、サラセン帝国の中にユダヤ人の九〇パーセントぐらいが住むようになったと言われます。

ところが、十字軍が動員され、イスラム支配下のイベリア半島でも反ムスリムのレコンキスタ運動が起こり、キリスト教国がイスラム教国を再征服していく。とくにスペインでは一四九二年にグラナダからイスラム勢力が一掃されてキリスト教徒が入ってくると、ユダヤ人はふたたび移動せざるをえなくなります。イスラム教の支配下に長くいたユダヤ人たちはスファラディ系と言われますが、商人としてキリスト教圏に入っていくことになったわけです。

中世のキリスト教国家は商業を卑しんで、利子も認めていませんでした。このために、キリスト教徒が嫌がる仕事を請け負ったのがユダヤ人でした。シェークスピアの『ベニスの商人』を思い出してください。中世都市の商業や金融活動はこうしたユダヤ人たちが担っていたのです。ユダヤ人たちは経済活動の中心にいましたから、当然豊かになっていった。それを快く思わないキリスト教徒たちによるユダヤ人排斥運動が、しばしば中世のヨーロッパ諸都市で起こっています。

ユダヤ人は生き延びるためには、いろいろな土地に行きました。キリスト教圏のユダヤ人をアシュケナージ系と言いますが、彼らはロシアに行くようになります。ロシアでも非常に大きな迫害を受けました。

そのような迫害を受け続けているにもかかわらず、いまでもユダヤの陰謀という話がキリスト教圏ではすぐに出ます。国民国家に反抗しているとか、現在の金融危機もユダヤ人の陰謀だとか、社会主義もユダヤ人が始めたとか、いろいろ悪く言われます。対立・抗争を歴史と考えるヨーロッパ文明からすれば、ユダヤ人もまたアジアと同じく、ヨーロッパ、キリスト教文明に対する悪魔の側だという言い方になるわけです。

彼らユダヤ人は土地を所有することができなくて国の保護もないから、自分たちでなんとかネットワークを使って生き延びるしかほかに方法がなかった。だから、金融を仲介する業務につく人が多かっただけです。

むしろキリスト教徒のほうが自己中心的で異端を排除し続けてきました。

キリスト教が公認されてローマの国教になる前から、まずイエス・キリストが人間に生まれて神様になったと言ったアリエス派を異端だとして排除しました。キリスト教は、細かく教義を決めて、自分たちの中から異端派を探して退ける。

同じキリスト教徒の中でも考え方が違う者を魔女だという魔女狩りもあった。悪魔と天使といって生き物を二つに分ける。だから、マルクス主義はキリスト教の鬼子だと、私はしみじみ思います。

ローマ教会も早くに東西に分裂するし、一六世紀にルターが宗教改革を始めてからは、旧教のカソリックと新教のプロテスタントのキリスト教徒同士が本当に長い間宗教戦争で血みどろの闘争を続けました。

それに比べて、イスラム教も仏教も非常に緩やかな世界観を持っています。キリスト教ほど原理主義的にならない世界をつくってきた歴史があります。ただ、キリスト教文明が非常に強く世界を覆ってしまった。この強力なキリスト教文明に対抗するために、イスラム教は原理主義的にならざるをえなくなったのではないかと私は推察しています。

歴史の史料は批判的に読む必要がある

このようなことも含めて、実際に歴史観はただ一つではありません。私たち日本人は、与えられた知識をそのまま真面目に覚える人間が優等生だと考える傾向が強い。しかし、これからは、世界中にはさまざまな考え方があるということを日本人全員が知る必要があります。いまもグローバリゼーションだと言われると、日本人は世界の人たちと一緒に生きるのはいいことだ、乗り遅れてはいけないとすぐに考えます。けれども、世界の流れはその方向で動いているとされていることも、いつ、どこで、だれが始めたのか、だれにとって都合がいいのかをさかのぼって知るべきです。

近隣諸国の歴史認識論争だけではありません。世界のどこでも、いつでも、歴史が書かれるということは、何かを主張したいという理由があるからつくられる。だから、書物が残っているからといって、すぐにそれが本当だと思ってはいけないのです。

日本人はとても素直で性格がいい人たちなので、書いてあることをまず信じようとします。しかし、書くということは書きたい理由があるということです。だから、むしろ書かれなかったことを想像するくらいの読み方が必要です。

もちろん残された文書を基礎史料として利用する以外に方法はありません。しかし、だれが、なぜ、いつ、これを書いたのか。当時の世界情勢はどうだったのか、だれに向けて主張した文書なのか。つねにそういうことを知る努力が求められるのです。これを史料批判と呼びます。史料を批判的に読みながら、できるだけ史実に近づいていくことが求められています。歴史家はつねに歴史とは何かという問題に向き合っていかなければならないのです。

第5章

中国は日本人がつくった

二〇世紀まで「中国」という国はなかった

世界で自前の歴史文化をつくり出したのは地中海文明のヘーロドトス以外には、シナ文明の司馬遷だけです。前述のように対抗文明である日本も、司馬遷の歴史にいやおうなく影響を受けてきた国の一つです。本章ではシナ文明の司馬遷の歴史について詳しく述べますが、その前に、なぜ「中国」と言わずに「シナ」という言い方を使うのかについて説明しておきましょう。実は「中国」という国家は二〇世紀までなかったからです。

中国という国ができたのは、一九一二年の中華民国が歴史上初めてです。一九四九年に誕生した中華人民共和国は違う国ですが、略称が中国で、両方とも「中国」です。日本でお隣の大陸の歴史を「中国史」と呼び、紀元前の政権までを「古代中国」と言うようになったのは戦後のことです。

中国大陸に古くから人はいたし、漢字は昔からあった、皇帝もいたではないかと言われると、たしかにそうです。しかし、戦前は日本はそれらを「支那」と呼んでいた。それにはちゃんとした理由があるのです。

これから順番に説明していきますが、そもそも漢字文明圏では、漢字の意味が非常に大切です。大陸の広い地域で、耳で聞いて通じる言葉は、二〇世紀までありませんでした。紀元前二二一年に、いまの中国ほどは広くありませんが、戦国七国が秦に統一されたときにも、あまりにも土地が広くて、異民族が多く住んでいたので、当然、この人たちは話し言葉がみんな違っていた。国として統一するときに、漢字は意味を伝える文字だったので文字の形だけは一つにし、読み音は、意味とは無関係な一字一音、一音節に決めました。漢字は見れば意味がわかる。そのために、彼らにとっては二〇〇〇年以上、漢字の意味が非常に大事だったわけです。

日本人は漢字を輸入しましたが、まもなくカタカナ（片仮名）とひらがな（平仮名）を発明しました。もともと日本にあった言葉が、同じ意味を持つ漢字の訓読みとなり、輸入したときに付いてきた漢字の読み方が音読みになりました。たとえば、日本にもともとあった「おとこ」や「おんな」と発音することばが、同じ意味の「男」「女」という漢字の訓読みになったわけです。

日本人はカタカナとひらがなを発明したので、輸入した漢字の読み方だけでなく、当時あった大和言葉の語彙がそのまま現在にまで伝わって残りました。

図10 秦の始皇帝の文字統一

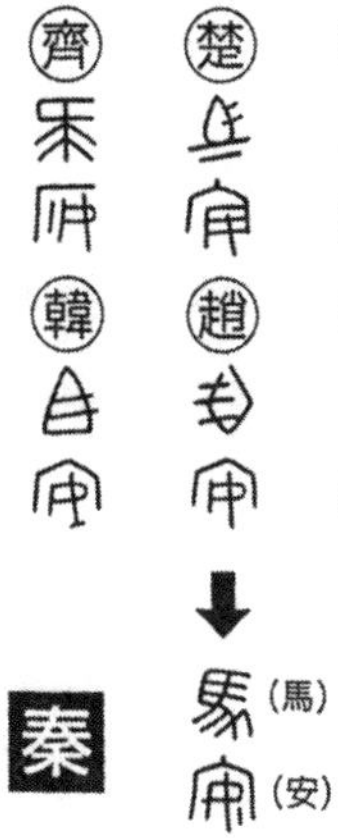

私たちは漢字をとても便利に使っていますが、漢字を発明した本国では、漢字の発音を書く方法がありませんでした。つまり、二〇世紀まではルビがないままで漢字を使っていたのです。そのため日本人に比べてはるかに漢字の意味が重要だったわけです。

戦後、「敗戦国である日本は蔑称である『支那』を廃止しろ」と蔣介石が言い出しました。「支那」という漢字にはいい意味がないと言われますが、取り立てて悪い意味だというわけではありません。でもともかく、たいした意味のない漢字です。しかし中国人は「支那」という漢字を嫌ったのです。

図11　司馬遷

それに対して、日本人は過剰に反応してしまいましたが、実は彼らは「シナ」の音に反発したわけではなかったのです。だから東シナ海、南シナ海という地名は特別問題にされずにいまでも残っています。カタカナならば意味がないからです。カタカナで「シナ」と書けばよかったのです。なぜなら「チャイナ」と「シナ」はもともと同じ言葉から来た音だからです。

それなのに日本では、外国で言われている「シーナ」「ヒーナ」「チャイナ」という単語もすべて、日本語に翻訳するときに「中国」と訳したために、何千年も前から中国という国があって、中国人がいるようについ思ってしまうことになりました。これはたいへんな間違いだと私は思います。

中華民国と中華人民共和国は、もちろん中国です。現在は中国です。しかし、歴史の話をするときには、カタカナの「シナ」とします。「支那」という漢字が悪いのなら、それはやめましょう。でも、カタカナの「シナ」を「チャイナ」の翻訳に使うほうが正確です。ですから、本書でも中国とは言わず、「シナ文明」「シナ社会」と言うことにさせていただきます。

「日本」に対抗してできた「中国」という国家

では、「シナ」と「チャイナ」のもとは何かというと、秦の始皇帝の「秦」なのです。次の図12は、いまの中華人民共和国よりももっと広かった清朝の領土の上に、秦の最大版図を載せています。始まりはそんなに大きくなかったことがわかるでしょう。

そもそも中国という国が何千年も変わらずにあったわけではなく、王朝もひんぱんに交代し、領土そのものも変わりました。秦が統一したのは紀元前二二一年なので、「中国五〇〇〇年」は誤りで、正しくは「シナ二二〇〇年」です。

では、「中国五〇〇〇年」はいつできたかというと、一九一一年の辛亥革命のときからです。

日本はそれ以前の明治維新のときから、『日本書紀』や『古事記』の物語に基づき、紀元前六六〇年の神武天皇の即位からずっと日本という国と大和民族が続いてきたという歴史を確立することで、国民国家の基礎をつくっていました。

その日本が日清戦争で清朝を破りました。東の野蛮人だと思っていた日本に負けたことで、清は近代化の必要性を痛感しますが、このときにはまだ中国はありません。

日本に見ならって近代化しなくてはならないと思った清国留学生が日本に来てみたら、日本人が自分たちの国を「支那」と呼び、自分たちを「支那人」と呼んでいた。同じ「シン」でも「清」と「秦」では漢字が違います。音が同じ漢字が多すぎるので、書かないと絶対に意味がわからないのです。

魯迅なども最初は日本の言うとおりに自分たちの国を支那、自分たちを支那人と呼んでいました。でも、やがて清国留学生は、日本は「日の本」という立派な漢字の国号を持っているのに、自分たちのことを「支那」などと言うのは蔑称だと言い出したのです。

支那に代わる漢字は何がいいかと考えたあげく、自分たちは世界の真ん中の国、中心だというので、一九世紀末に「中国」を考え出して使うようになる。二〇世紀に辛亥革命を起こして中華民国をつくった人たちは、ほとんどが日本への留学生です。それで国をつくったときにこれでいこうということで中国は生まれることになった。ですから、中国という国家は実は日本

図12　秦がシナ（支那）とChinaの語源

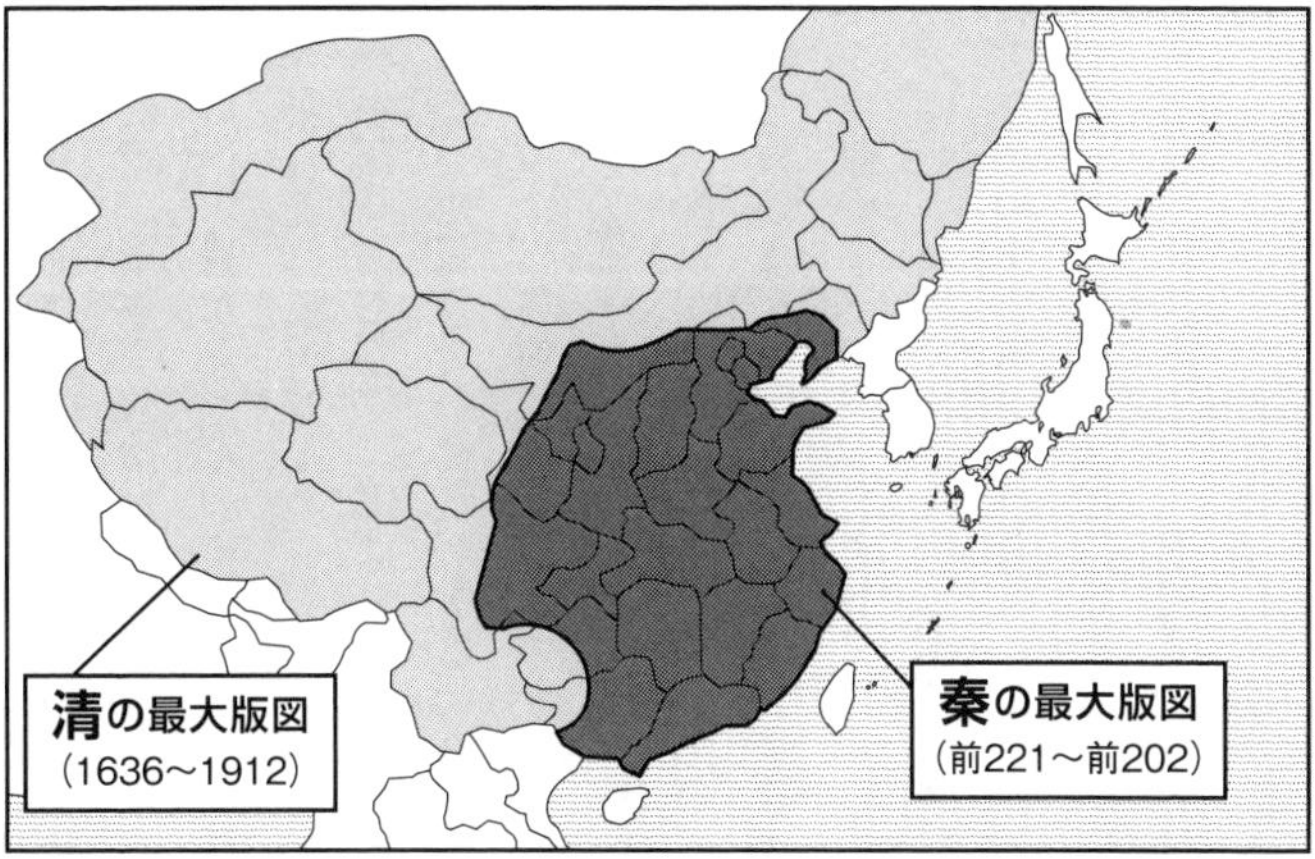

がモデルなのです。

現代中国語の七割は日本人がつくった翻訳語

古い時代には、たしかに漢字はシナ大陸から日本に伝わりました。江戸時代に日本人は、武士階級は藩校などで「四書五経」を学び、庶民も寺子屋などで、簡単な漢字の読み書きやそろばんを習いました。女子もひらがなだけでなく漢字が読める人はかなりいました。

幕末になると、正式に開国する前から、開明派の殿様などがお金を出して、優秀な若者を欧米に留学させました。留学させてもらった日本人は、自分たちが学んだことを故国の人たちにも伝えたいと考えて、たくさんの書物を日本語に訳しました。

けれども、それまでの江戸時代の日本語にも、漢字の「四書五経」にも、新しい近代科学、技術、法律、軍事、政治といったことをあらわす術語がありません。それで、彼らは漢字の知識がたいへん豊富だったので、横文字を翻訳するときに、古典で習ったいろいろな漢字を使って二字熟語をつくりました。

現代中国語の七割は、実は日本人が明治時代に英語やフランス語やドイツ語から翻訳するときにつくった組み合わせか、あるいは古典にもあるけれども意味が違うというものです。たとえば「国家」は古典にもありますが、昔の漢語では「皇帝様」という意味で、いまのネイション・ステイトではありません。中国でもいまは「国家」と言いますが、ネイション・ステイトに当てて「国家」という漢字を使ったのは明治時代の日本人です。

先ほど言いましたが、清国留学生が近代化のために日本に勉強に来ました。そして近代化に必要な文献がすべて漢字化されているのに驚きます。もともと漢字は発音は無視して意味さえわかればいいわけですから、日本で漢字になっていた本は「全部読める」というので、日本の教科書をそのまま本土に持ち帰った。そして、あちらに小学校ができ、中学校ができて、女学校ができて、彼らは日本の教科書を使って教えました。

「四書五経」の古典とは全然違う近代化は、日本のほうが三〇年以上、先行していたわけです。このようにアジアの近代化は日本から始まったのです。しかし、このことも日本ではあまりにも教えられていません。

「支那」の出典は「大蔵経」という仏教経典にあった

では、「支那」という漢字がなぜ使われるようになったのかといえば、別に日本人が発明したわけではありません。「大蔵経」という仏教の経典を集めた中に、秦の始皇帝の秦の音がインドに伝わって「チーン」になり、チーンの国に昔、王様がいたという説話が遺されていました。

七世紀の唐の時代にインドに仏典を求めて旅した玄奘三蔵法師も経典を持ち帰っていますが、それ以前の後漢時代から仏教がシナに伝わり始め、何世紀にもわたって、アルファベットの一つであるサンスクリット文字のお経を漢字に翻訳した漢訳「大蔵経」ができます。翻訳するときに、サンスクリット語で書かれた「チーン」という国の名前を、シナ大陸で漢字とサンスクリット語の両方ができる人が「支那」という漢字で書き写してしまったのです。だから、日本のせいではありません。

なぜそうなったのか。当時翻訳した人たちが、大蔵経の「チーン」という国が秦の始皇帝の「秦」だと知らなかったという可能性が一つ。もう一つは、自分たちが所属する国は始皇帝の秦とは違う王朝であり、血のつながりもない。自分たちとは関係のない国だから、どうでもいい漢字を当てたということもありえます。

もともとシナには、漢字を知っている自分たちは世界の中心の高みにいるという中華思想が強くありました。だから周辺の人たちを悪い漢字を使って呼んでいた。漢字も知らない人間は野蛮人だと低く見ていたからです。邪馬台国の女王卑弥呼も、「や」という音をわざわざ「邪」という悪い漢字であらわし、音で聞けばたぶん「ひめみこ」という、日本人にとってはとてもいい意味の人名なのに、「卑しい」という字をわざわざ使っている。そういう文化がありました。「支那」という漢字はそれほど悪い意味はありませんが、よい意味もありません。

日本では江戸時代になっても、お隣の大陸を「漢土」「唐土」と言っていました。しかし、漢は三世紀に滅びています。唐だって一〇世紀にはなくなり、そのあとも王朝が目まぐるしく交代している。

日本はもちろん、唐が滅びた国であることは知っていました。しかし、宋が興り、元になって明から清に変わるという風に、王朝が違っているので、一つの言葉では表現できない。それで、昔に交流のあった漢や唐の名前をそのまま使っていたのです。

江戸時代には「唐子《からこ》」「唐様《からよう》」「唐辛子《とうがらし》」「唐黍《とうきび》」「唐土《もろこし》」などと、大陸起源のものにはすべて唐が使われました。唐は遣唐使を派遣した王朝だったので、日本人みんなになじみがあったからです。実は漢字、漢文という呼び方も、これらを輸入して以来、日本人のほうがずっと使い続けてきたから、歴史的に残ったと言ってもいいくらいです。

王朝を超えた土地の名前として「支那」と最初に使ったのは新井白石でした。ヨーロッパでは「シーン」「チーン」と呼んでいることを知った新井白石は、江戸時代の将軍の側近で、当時の知識人としてはトップの儒学者ですが、「大蔵経」に「支那」とあることも知っていたので、その漢字をそのまま「チーン」の当て字として使うようになったのです。ところが、いまの中国人は、なにせ日本のすることは全部悪いと思い込んでいるので、わざわざこんな悪い字を使ったと非難している。だから、漢字をやめてカタカナにしましょうというのが、私の意見です。

それはそれとして、戦後はずっと中国が使われてきましたので、私も仕方なく「中国」という言い方も使います。

秦以前の異民族の存在も

シナの文明で初めて書かれた歴史書である『史記』は非常に面白い本です。なぜなら初めての史書なので、それまで残っていたと思われる史料をできるかぎり集めて整理したからです。

まだシナ文明ができ上がる前のこまごました話も出てきます。

秦の始皇帝の統一前にどんな出来事があったかについても、司馬遷の『史記』をよく読めば、かなり詳しく述べられています。黄河中流域に都市国家はあったけれども、町を一歩出たら、野蛮人である「狄《てき》」の人間がいたとか、孔子の生まれた山東のあたりも、町の外は漢字もできないような人間が住んでいたとか書かれていて、洛陽盆地の周りには、東夷《とうい》、西戎《せいじゅう》、南蛮《なんばん》、北狄《ほくてき》という野蛮な異民族がいたことがわかります。

東夷とは東の「夷」、つまりは野蛮人ということです。「夷」という漢字は「低い」と同じ音で、弓を引く人という意味があり、文化がないことをあらわしています。黄河と淮河下流の低いところで魚を獲っている漁撈《ぎょろう》民のことです。

西戎の「戎」は矛《ほこ》、盾を持っているという字で、武力が強いという意味ですが、この字にいとへんをつけると絨毯の「絨」になるように、いまの陝西省、甘粛省南部の遊牧民のことを言います。

南蛮の「蛮」は虫がついていますが、「マン」というのは音としては彼らの言葉で「人」のことを言い、山地の焼き畑農耕民のことでした。

北狄の「狄」はけものへんがついていますが、洛陽盆地の北のほうの森林でけものを狩って暮らしている狩猟民のことです。

**図13　シナ(秦→シナ、China)以前の時代
東夷・西戎・南蛮・北狄が戦国七国に**

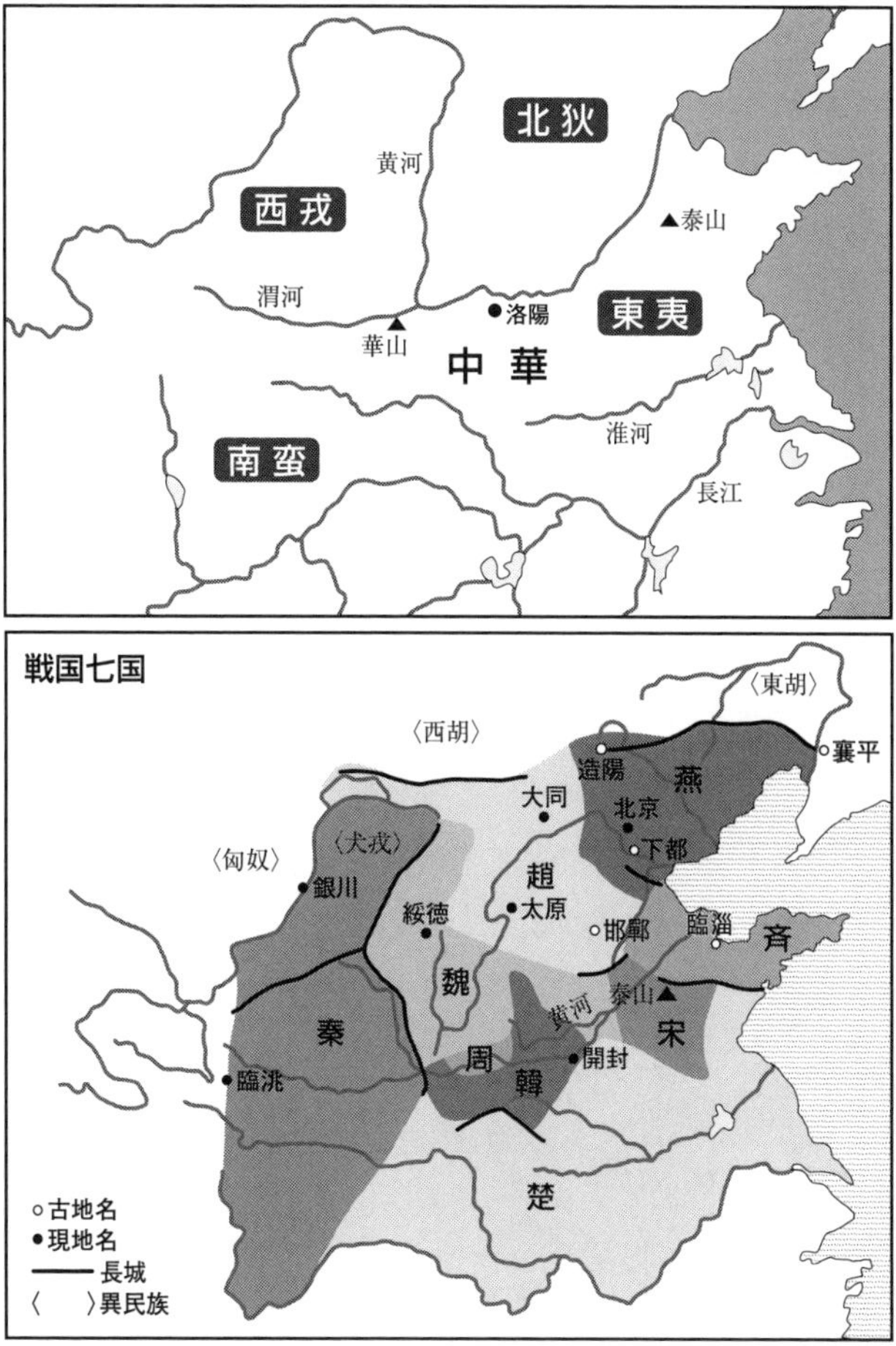

図13を見ればわかるように、これはいまでは中国の本当の中心地ですが、司馬遷が書いたときより少し前はまだこのように東夷、西戎、南蛮、北狄の住む地域だったのです。

図13の下の地図ですが、まだ始皇帝が統一する前に、戦国七国時代がありました。かつての東夷、西戎、南蛮、北狄の場所に、やがて領域国家が誕生します。

戦国時代の国は、都市国家を中心としてだんだん領域が広がったのですが、漢字の「国」の古い正字の「國」は、四角く囲んである中に、つちへんを取った「域」の右側が入ります。これは城壁に囲まれた土地という意味です。つまり、「國」という漢字自体がもともと町のことだったのです。

漢字、漢人、漢文明はいかにして生まれたか

では、漢字、漢人、シナ文明はどのようにして生まれてきたのか。私たち日本人は漢族と言い、彼ら自身は自分たちを漢人と呼びますが、私たちが普通中国人と言っているのは、漢字を使う人たちです。この人たちはいったいどこから出てきたのかというのが、一〇九頁の図13を見れば一目瞭然です。

いわゆる中国人、漢字を使う漢人の血筋はというと、実際にはいろいろな出身があり、さま

ざまな土地の人が混血しているというのが、岡田英弘著『歴史とはなにか』『世界史の誕生』に詳しく書かれています。

戦国七国の地域は、かつては野蛮人が住んでいたところです。つまり、血筋は野蛮人でも、町に住んで漢字を使うようになると文明人になります。この人たちがのちの漢人、中国人の祖先になったのです。

七国の漢字の字体の違いがわかる図10を九九頁に挙げておきましたが、戦国七国では、漢字も形が全然違っていました。読み方も違いますが、形も違います。ここにはたった二つの漢字、「馬」と「安」しか出していませんが、ほかの漢字も全部、七国で字体が違っていました。「馬」の象形文字は、四本足とわかるだけで、犬か牛か、習わなければ何と書いてあるのかわからない。いま世界に多くの言語があって、そうした外国語が読めないのと同じで、七国は外国同士で、お互いに相手の文字は簡単に読めないようにしていたのです。

始皇帝が戦国七国を統一したあと、漢字の字体を一つに決めて、残りの六つが書いてある本を全部焼いた。これを「焚書」と言うのです。文字を共通にしないと、統一国家として統治できないからです。

先述したように、中原と呼ばれた中心部分を統一した秦の始皇帝でも、話し言葉までは統一することができなかった。東夷、西戎、南蛮、北狄は完全に異民族です。狩猟民と漁撈民と牧畜民では言葉も違っていた。そういう土地全部を一つの国にするために、どうしたかというと、話し言葉とはべつに、漢字の字体と、その読み方を子音・母音・子音の一音に決めて（これが音読みの起源です）、みんながそれを使うことにした。それがそもそものシナのスタートでした。

さらに、始皇帝は度量衡を統一した。重さや秤を統一したのです。それまでは同じ一升でも国によって重さや容量が違っていたからです。

車輪の幅も七国で全部違っていた。というのは、侵略してきた他国の車をまっすぐ走れないようにするためです。車輪の幅が違うと、鉄道のゲージと同じで、車の輪が道につくる轍《わだち》の幅が違うので、まっすぐ走れず車が転覆してしまうからです。安全保障のためにお互いに全部変えていた。

一〇九頁の図13を見ればわかりますが、実は、戦国七国はそれぞれ隣の国との境に土を固めてつくった「長城」をつくっていました。統一した秦の始皇帝は内側の境界はこわしてしまいましたが、遊牧民の侵略を防ぐために、北方の長城だけを残してつないだのが、いわゆる万里の長城です。

秦の始皇帝が、文字通り、本当の意味のシナの始まりなのです。シナにおいて最初の統一国家をつくった。たくさんあった都市国家を一つにして、すべての町に自分の直轄の軍隊と直轄の知事を送り込んで統治した。初めて皇帝を名乗ったのも始皇帝です。これ以後、シナ皇帝は、別の一族が皇帝になったり、前の皇帝を殺して次の皇帝が立つことはあっても、仕組みは同じでした。だからシナ二二〇〇年なのです。

遠くにある町を皇帝が直轄にし、皇帝の決めた役人が現地に派遣される。その範囲が広ければ広いほど商業の規模が拡大して繁栄する。皇帝はその商業税を取る仕組みだった。塩と鉄も専売にしました。このようにして皇帝は地方から税金を集めますが、この税金を集める人たちが役人になる。皇帝の家来は、そうやって国家を経営する役割を果たしたのです。

シナ文明というのは、日本人が思うようなきちんとした官僚組織があったのではなく、実は皇帝を頂点とする商業文明から出発しています。広い地域に住む異民族を一つに束ねるための組織、仕組みで、束ねるときに使ったのが漢字だったわけです。漢字のできる人たちだけが支配階級で、地方を統治しました。首都が中央の本社で、地方の支社の人たちが遠いところの珍しいものを持って皇帝に挨拶に来ることを朝貢と言いました。

皇帝が役人を地方の長官にするときも、給料は出ません。請負制です。現地で儲けて必ず何割かは中央の皇帝に送るという認可制です。それがシナ文明でした。

天が次の王朝の正統性を決めるとした司馬遷の歴史観

司馬遷が『史記』を書いたときには、すでに秦は滅びて漢になっていました。司馬遷は、自分の仕えている漢の武帝がいかに正統性があって立派であるかを言わなければいけなかった。そこで、司馬遷が考え出したのはどういうことだったのか。

図14の円柱形の図版を見てください。司馬遷が『史記』で主張した歴史は、司馬遷が仕える前漢の武帝は、歴史が始まったときの天子である「黄帝」から代々伝わってきた伝統を継承した正統の天子である、ということでした。

秦の始皇帝は立派な君主で、天命が下りて皇帝になって天下を統一した。しかし、悪いこともたくさんした。また、息子はまったく優秀ではなかった。だから、天が見放したのだと説明したわけです。

そうしないと、ようやく統一した始皇帝が支配していた土地を、自分が仕えた武帝の祖先である漢の皇室が全部奪ったことになる。もちろん、そんな説明をするわけにはいかない。そこで、司馬遷が考えたのは、すべては天が決めるという歴史だった。いまの王朝の正統性は天が保証しているということにしたのです。

それまでの伝統としては、実は世襲がいいのはわかっていた。神様である黄帝からその子孫の堯《ぎょう》・舜《しゅん》まで、いまでもみんなが尊敬している五人の「天子」が生まれた。この人たちは血筋もつながっているし、お互いに「禅譲《ぜんじょう》」といって穏やかに譲り合って、優れた人を皆が天子に選んだと言ったというような美しい話が物語られています。

本来はこれが理想です。しかし、皇帝の徳が衰えてくると世の中が混乱する。だから、天が次のふさわしい王朝、ふさわしい皇帝を選んだのだということにした。これが『史記』の全体の枠組みです。本当にその枠組みですべてを説明したので、とてもわかりやすいのです。

図14　司馬遷『史記』が描く天下（世界）

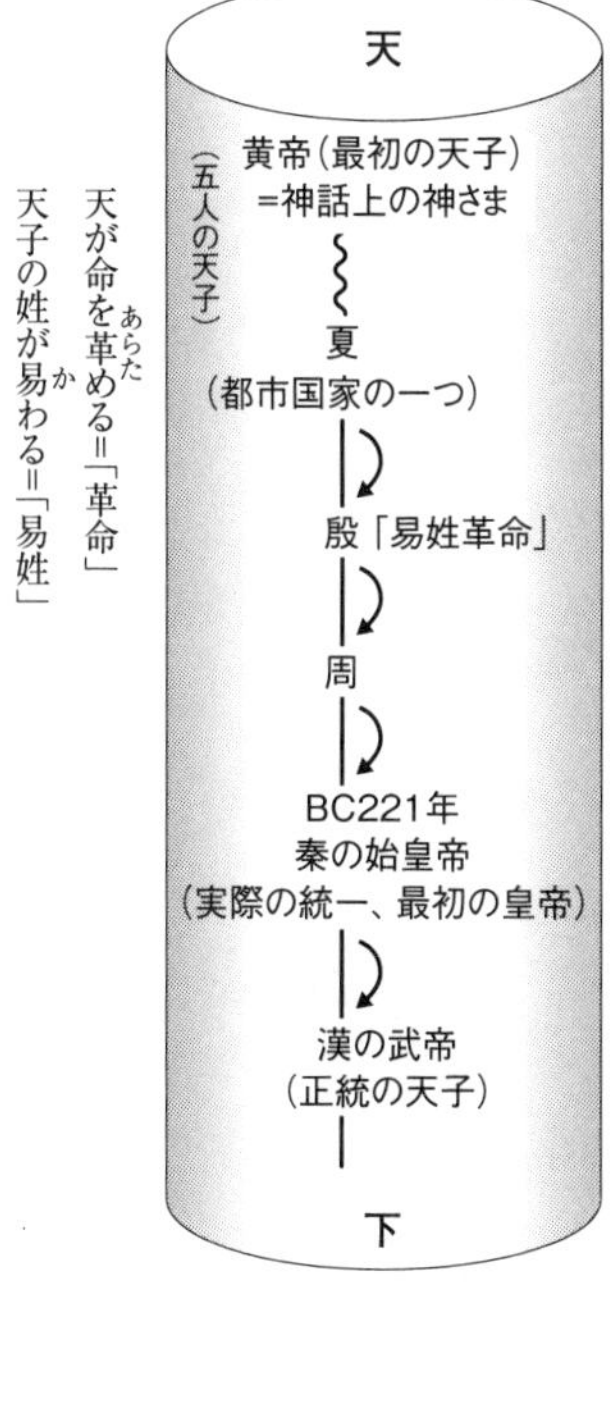

思い出してください。ヘーロドトスの歴史は、なぜギリシアのような小さな都市国家が大国ペルシアに勝てたのかという理由を説明したくて書かれたものでした。

司馬遷もやはり天才的な歴史家ですが、まったく新しい別の筋道を考えついた。徳がなく悪い王朝は天が滅ぼして、徳のある王朝に変える。これが日本人がよく使う「易姓《えきせい》革命」というものです。姓が変わったということは天命が変わったのです。

革命という言葉を、明治時代の日本人が、ヨーロッパ文明の革命、レボリューションの訳語にしてしまいましたので、日本人は混乱するのです。ヨーロッパ文明のレボリューションは、人間が力で改革していく、横に転がって新しい王朝ができて、国が興って滅びるというイメージです。

ところが、シナ文明では、革命の主語は天で、天が変える。革命はすべて天命によって起こる。この歴史観が実は現在の中華人民共和国まで続いているのです。中国では司馬遷が最初の歴史家で、司馬遷が『史記』をつくったあと、『漢書』『後漢書』『三国志』と二四もの正史と呼ばれるオフィシャル・ヒストリーがつくり続けられてきました。

シナ文明は筒のようなものと考えるとわかりやすい

日本人は『三国志』がとても好きです。『三国志』は魏、呉、蜀という三つの王朝の個性的な王たちが天下を取り合って戦ったから話が面白くなっている。それ以外の正史は、新たに建てられた王朝の役人が以前の王朝の歴史を書くわけですから、すべて結果論になります。最初に王朝をひらいた皇帝は立派だったが、しだいに政治が乱れて、そのために天命を失っていまの王朝になったとしか書いてありません。物語性もなく、意外性もまったくない。司馬遷が書いたとおりの筋書きに、新しい王朝の名前と新しい一族の名前と新しい皇帝の名前が入っているだけだから面白いはずがない。どれを読んでも同じです。

こうしてみてくると、シナ文明というのは筒のようなものだと考えたらいいかもしれません。天は未来永劫、同じ天であり、人間の住む世界は中身が入れ替わるだけだからです。天命が誰に下りたか、どの王朝が正統であるかだけに関心がある。『史記』以来、シナはそういう歴史を書き続けて今日に至っています。

だから現在でも、中国大陸の政権である中華人民共和国は、中華民国は滅んだとしか書けない。中華民国が滅んでいないのに中華人民共和国ができたとなると、皇帝が二人いることになってしまうからです。天命が二つに割れることは許されないのです。どちらかが正統だと、片方は偽になります。

中華民国の時代には満洲国は偽満洲国と書いた。もし偽という文字を入れなかったら、満洲国が清朝の継承国家になって中華民国が偽になってしまうからです。

中華人民共和国は、いま現在統治している土地は、歴史の始まりから中国に統治されるべき運命にあったと教科書でも教えています。そうでなければ、統治の正統性がなくなるからです。だから、日本が建てた満洲国はもちろん偽だし、台湾は中国の領土だし、チベットやモンゴルやウイグルは、途中で変な文字や変な宗教にかぶれたけれども、ようやく「祖国に復帰した」と言ったのです。

このように、彼らの言う歴史認識は実際からどんどん離れていき、歴史というのはただ現在の国家が正統であるということを言うだけのものになっています。嘘を言っているという自覚はなく、それが歴史だと中国人は思い込んでいるのです。

それがスタートからの宿命であり、それがシナ文明の歴史観です。

夏も殷も統一王朝などではなかった

司馬遷が『史記』の始まりで、このように書いています。最初の神様である黄帝から堯・舜までの五帝の間は、平和裏に、非常になごやかに位を譲り続けていたけれども、そのあと、夏、殷、周と異姓の王朝が交代した。

「中国五〇〇〇年」は嘘としても、ずっと昔から中原《ちゅうげん》という黄河の中流域に王朝が続いて、夏があって、殷があって、周があった。周が分裂して戦国時代になり、七国に分かれたと、司馬遷の『史記』に影響されて、日本人はシナ史を古くからの通史としてつい考えます。

ところが、司馬遷自身が書いた夏の王朝の始祖説話を見ると、祖先の一人は竜のよだれから生まれたと書いてあって、南方にいた東夷の出身であることがわかります。

殷についても、司馬遷が始祖説話を熱心に書いてくれている。殷の始祖は鳥が落とした卵の子孫だという話が出ているので、北狄だったに違いありません。

周も秦も西戎だということがわかります。とくに始皇帝の祖先は貧しいときは御者だった。つまり、馬を御する人で、西から入ってきて戦国の覇者になったということがわかる。

司馬遷の『史記』を丁寧に読むと、秦の始皇帝が統一する前の大陸の中に、さまざまな人たちが暮らしていたことがわかります。しかも、夏も殷もとても統一国家とはいえない。もともとの都市国家が拡大して、周りの町に比べて一番力があったというだけです。

これを司馬遷は、天下がずっと同じで、いつの時代にも天子が存在し、天命が自分の君主の武帝に真っ直ぐに来たと説明したいがために、夏に正統が移り、次に殷に正統が伝わり、次に周に正統が来たというふうに書いたのです。

本当は、夏と殷と周は領土はうんと小さいはずです。そんなに大きく統一されていたのだとしたら、なぜ戦国七国になって七つに分かれたのか。変ではありませんか。

しかし、司馬遷は戦国七国がそれぞれ都市国家で、それを大統一したのが秦の始皇帝だという史実を書くことにはあまり興味がなく、歴史書としてどうしても天命と正統性に重点を置きたかった。したがって、『史記』に書いてあることはすべて、本当のことであるとは思わないほうがいい。それが歴史書の宿命だからです。

第6章

『史記』に呪縛された中華圏の歴史観

シナの正史は二四あるが、清朝史はまだ書かれていない

司馬遷の『史記』が始皇帝の時代から現在までの二二〇〇年間のシナの歴史にどのような影響を与えてきたのか、そして『史記』の歴史観から離れてみた場合、実際のシナの歴史はどのようなものだったのか。本章ではその両面から見ていきます。

司馬遷の『史記』は秦の始皇帝の時代よりはあとで書かれましたが、それでも紀元前後、前漢の武帝の時代にまとめられています。司馬遷は、天が徳のない天子の位を奪って、徳のある天子に位を授けて、新しい王朝が生まれると書きました。

この司馬遷の予言どおり、シナではその後二〇〇〇年以上の長きにわたって、黄河と長江の間の中央部をめぐって、なんとたくさんの王朝が入れ替わったことでしょうか。そして、『史記』を嚆矢《こうし》として、正史（オフィシャル・ヒストリー）と呼ばれる史書は、二四もあるのです。

現在の中華人民共和国の前は中華民国で、その前は満洲人の建てた清朝ですが、まだ清朝の正史は書かれていません。『清史稿』という、つまり「清史の原稿」という名前の本は漢字で一度、中華民国時代に書かれています。最近になって、中華人民共和国は、『史記』の体裁を

踏襲して、正史としての清朝史をつくる国家プロジェクトを立ち上げました。

しかし、それは日本の専門家から見たらとんでもないしろものです。中華人民共和国がいかに立派な正統の王朝で、前の王朝がどんなに悪かったか、日本がどんなに悪かったかばかりが書かれたものになりそうだからです。その正史をつくるための材料をいまの中国の学者たちにつくらせているところですが、学者にも学問的な良心がある。だから国家の思うような史料が集まることはないでしょう。

いまは政府から資金がたくさん下りているので、清朝時代に関する多くの本が出版されていますが、それを集めたところで共産党政府が期待するような正史ができるわけではありません。

国史をいくら集めても世界史には決してならない

歴史というのは、あるがままがそのまま書かれているのではなく、まず歴史書が書かれるという時点で一つ、大きな理由があるわけです。歴史は二〇〇〇年後の人のために史実を残したいと思って書かれるのではない。その時代の要請があって、何かの目的をもって書かれるものです。だからその主旨に沿った文献だけが残って、その意図からはずれる文献は残らないことが多いのです。

したがって、歴史学者には史料を批判的に読み込む能力が求められます。手元に残った歴史資料が、何を目的としたもので、どこまでが本当なのか。どういう意図で書かれたものかを判断し、実際を反映した文章とそうではないものとを区別できなければいけません。

そもそも国史は国をまとめるために、目的があって書かれた過去の話なのです。したがって、戦争した相手は全部悪いと一方の国は書き、その相手の国は自分たちだけが正しかったと書く。だから、そのような歴史をどんなに集めても世界史にはならないのです。

いま日本では歴史と政治が区別されず、一緒くたにされて混乱しています。二〇一五年には、安倍首相が戦後七〇年の談話を出して、侃々諤々《かんかんがくがく》の議論になりました。しかし、歴史家から見れば、安倍晋三さんは政治家で日本の首相だから、政治的にはあの内容が限界です。つまり、史実をすべてきちんと言えば、国同士の国際関係がうまくいくかといえば、そうではないからです。

また、歴史認識について歴史学者同士で話し合う会議を持ったとしても、合意ができるようなものではありません。歴史とはそもそも過去をどう見たいかという、非常に主観的な動機から始まるものだからです。ヘーロドトスも司馬遷も、自分が知りたいと思って歴史を書いたのであって、共通認識としての歴史を書いたわけではなかったのです。

もちろんいままでは、一人の歴史家が過去はこうだったと決めるのではありません。しかし、それでも一つの国民が決めるのです。国民が違い、言葉が違えば、しかも戦争相手であれば同じことを感じるわけがない。だから、歴史と政治は一緒にしてはいけない。歴史は歴史、政治は政治とはっきり区別すべきです。

ところが、日本人もここでつまずいて、政治的になんとか正しい方向へとか、相手に本当のことを言えば韓国人と中国人も認めるに違いないとか考えたがるのですが、そんなことは絶対にありません。本当のことを認めたら、中国も韓国も国が成り立たないからです。なぜか。前章の話に戻ります。

政治と歴史を混同してはならない

ちょっと驚かれるかもしれませんが、一九世紀まで中国人はいなかったのです。一九一〇年に日本が日韓併合するまで、韓国人はいませんでした。どういうことか。

もちろん中国大陸と韓半島には現在の中国人および韓国人の先祖にあたる人々は住んでいた。しかし、韓半島では両班《ヤンバン》階級が奴婢である人たちを同じコリアンだと思ったでしょうか。人間扱いをしていなかったのだから思うはずがありません。

国民国家というのは、国民である集団と国民以外の集団を厳しく区別するところに生まれます。敵としての外国がある、外国から圧力を受けるという意識があるから、同じ場所に住んでいる人々が、「われわれは何人で、われわれは一つの民族だ」とまとまるのです。つまり、外国があってこその国境であり、民族ということです。

現代中国人と現代韓国人、北朝鮮の人も、日本に対抗したからこそ中国人、韓国人という意識も国家も生まれたのです。「反日が国是」というのはそのことで、日本が嫌いというだけで国がまとまっている。日本が素敵だと言ったとたんに彼らのアイデンティティは分裂してしまう。東アジアと日本の関係というものは、そのような非常に不幸な関係にあるのです。

同盟国アメリカでさえ、ついこの間まで日本が「鬼畜米英」といって必死になって戦った敵国です。アメリカ軍は日本の都市を無差別爆撃して、さらに二つの原子爆弾まで落として、日本の民間人を何十万人も殺した国です。そういう外国の人たちに囲まれていて、彼らとつきあって、なんとか商売をし、平和裏にやっていかなければいけない。それが政治です。そういうものは歴史とは言いません。

だから、歴史を勝手に政治の道具にしてほしくないのです。歴史とは、本来は政治とは関係なく過去を説明するものだということです。そのことを解説する前に、日本人が政治と歴史を混同する一番大きな理由がシナ文明にあるということを理解しなければなりません。

中国四〇〇〇年というのは日本の倍にしたかったからそうなった

中国には五〇〇〇年の悠久の歴史があるとシナが主張するようになったのにも日本が関係しています。いまは「中国五〇〇〇年」と言われることが多いようですが、当初は四〇〇〇年の歴史と言っていた。どうしてそういうようになったのかと言えば、次のような事情があったからです。

一九一一年一〇月に清国南部で辛亥革命が起こり、翌一二年二月に清朝は崩壊しました。清朝は革命によって倒れたのではなく、一二年一月に誕生した中華民国に平和裏に政権を禅譲したのですが、ともかく、それまで暦は皇帝が決めるものだったので、革命側の中華民国は清朝の溥儀《ふぎ》の宣統帝何年という年号はまったく使えなかった。また一方で、西暦の一九一一年という年号も、キリスト教徒の奴隷になるようで絶対にいやだと拒否した。

天照大神《あまてらすおおみかみ》の子孫の大和《やまと》民族の日本は、神武天皇即位以来、二五〇〇余年の暦を持っている。日本の倍はほしい。秦の始皇帝より昔の夏、殷、周よりさらに前の黄帝から数えると、四六〇〇年余も前だ、と一九一一年に革命派が、「今年は黄帝即位紀元四六〇九年」と言い出したのが、「中国四〇〇〇年」や「中国五〇〇〇年」という言い方の始まりでした。それまでそういうことを言った人はいなかった。なんと最近では「中国六〇〇〇年」とまで言い出しているから驚きます。

シナは、日本の倍だから四〇〇〇年とか五〇〇〇年とか言ったものの、実際には王朝ごとに断絶した歴史なので、秦も漢も元も明も現在のシナとは直接なんの関係もない。それを無視して数字が大きければいいという感覚です。

シナ大陸における王朝の興亡は苛烈です。易姓革命の国ですから、王朝が滅びたら前の王朝は、天命がなくなったということで全否定されます。皇帝たちはもちろん、臣下の人間も皆殺しにする。指導者たちは子供にいたるまで根絶やしにされる。まったく新しい王朝を一からつくるという、リセットばかりしてきたのがシナの歴史です。

シナ史の時代区分を左の図15に示しました。シナ史の五つの時代区分を岡田英弘の本から引用しましたが、あまりにもややこしいので詳しく覚えていただく必要はありません。

まず秦の始皇帝より前はシナ以前の時代です。秦の始皇帝から漢が成立し、黄巾《こうきん》の乱を経て三国時代の混乱期があって、隋による統一までが、シナ史の第一期です。第二期は、隋から唐に代わり、さらに北方で契丹や金が興って、漢人がおおきく入れ替わり、モンゴルの元が成立するまでです。元朝時代には、シナはモンゴル帝国の一部にすぎませんでした。そのあと明から清にいたり、日清戦争で日本に敗れるまでがシナ史の第三期です。日清戦争に負けたあとは

図15 シナ史の五つの時代区分

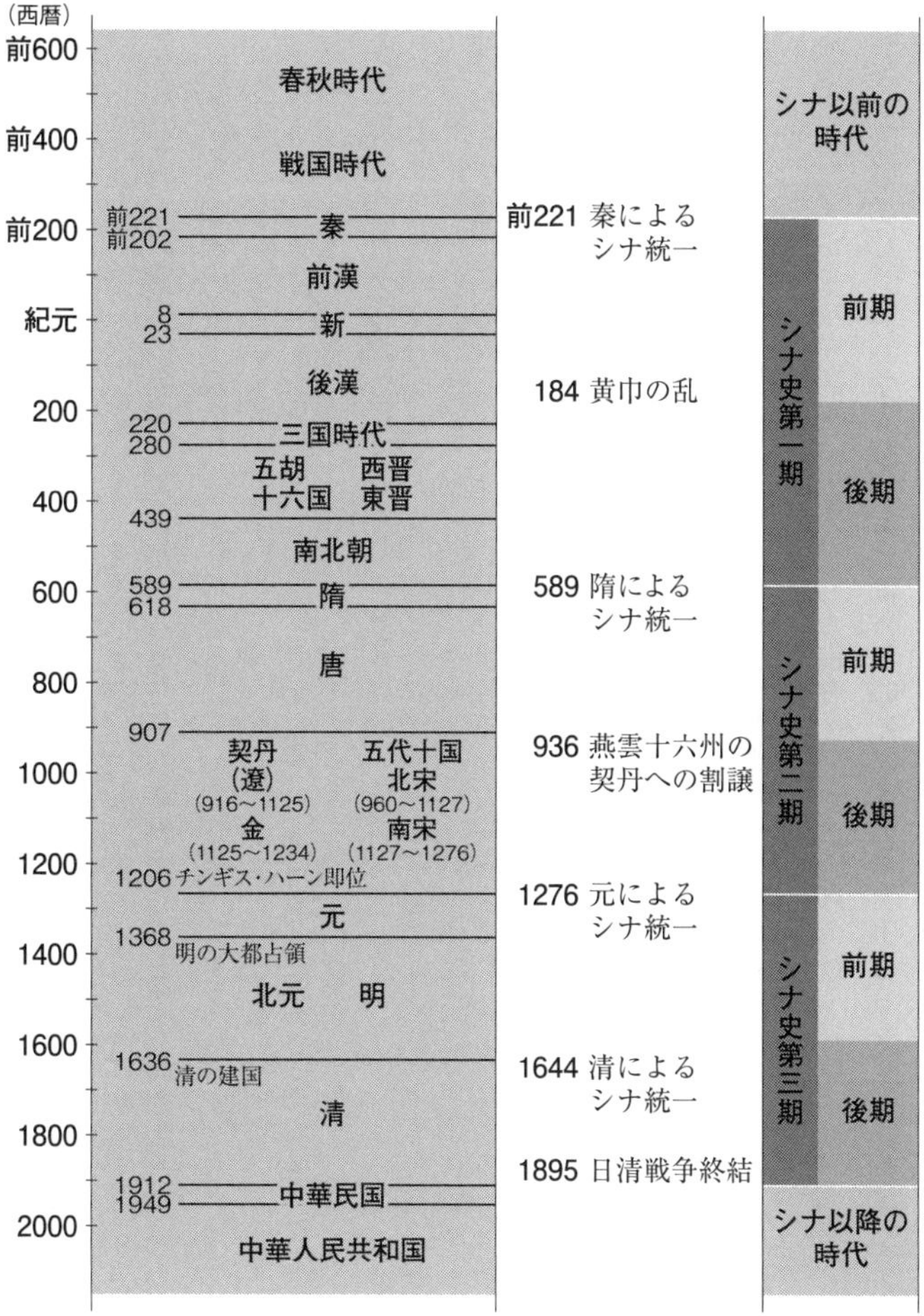

日本型の近代化に乗り出すわけですから、シナ文明が大きく変質し、シナ以後の時代になります。

シナ大陸では、二〇〇〇年の間に非常にたくさんの王朝が興亡して人間が入れ替わっています。人口そのものが大きく減少して、また新しい人たちが入ってくる。シナではそうやって住民がどんどん入れ替わっていったのです。

中国が世界に誇れる文化は『論語』しかない

中国が世界に誇れる文化として持ち出すのはいまも『論語』です。孔子と『論語』しかないのかというと、本当にそれしかありません。漢字だけが漢人たちをまとめる絆だったからです。しかし、不幸なことに現代中国は、多くの人たちの識字率を上げたいがために、簡体字と言って、字画を減らした記号のような字を採用してしまった。画数が多いと難しくてみんなが使えないので画数を減らしたのです。

表意文字である漢字は、前述したように見た目で意味がよくわかります。見ただけで理解ができるので、さまざまな言語を話す人たちが混在するシナ大陸では、非常に大事なコミュニケーション手段でした。漢字さえ勉強すればお互いにコミュニケーションがとれたのです。ところが、簡体字のような記号のような文字にしてしまったら意味もわからなくなります。

毛沢東は「ピンイン（併音）」という、ローマ字表示のルビだけにする計画を持っていました。その前段階として漢字を簡単な字にした。しかし、もしピンインのルビだけにしたら、しかもこれはローマ字のA、B、Cなのですけど、とたんに中国は完全に分裂することになるでしょう。なぜなら、いまでも「プートンホワ（普通話）」という共通語がラジオやテレビでは放送されているので、聞く分にはなんとなくわかっても、そのとおりに発音できるかというと全員ができるわけではないからです。

自分の発音どおりに書いたら、きちんとしたピンインは書けない。共通の発音記号が書けない。福建語、広東語、四川語など地方ごとに少数民族以上にバラバラになってしまうので、毛沢東はピンインの採用をあきらめました。

漢字を勉強するために、いまになって『論語』と言っていますが、これは孔子様が紀元前五世紀ぐらいにつくったことになっているものです。孔子と『論語』がどうしてこれほど重要かというと、あれを丸暗記した人たちだけがお互いに意思の疎通ができたからです。

戦国七国の時代、漢字の字体も違っていたときに、孔子学派はそれぞれの国の外交官として雇われていました。外交文書を相手に伝えるときには国内の文字では伝わらないから、孔子学派が使っていた読み方、漢字が非常に重要だったのです。

『春秋』は年表にすぎなかった

司馬遷の『史記』がシナ文明の最初の歴史書だというと、『春秋《しゅんじゅう》』という本があるではないかとよく言われます。『春秋』はたしかに『史記』より成立は古く、漢字で書かれた歴史書のように見えます。しかし、なぜ『春秋』を歴史書と言わないかというと、年表にすぎないからです。

シナは古くから暦を持っていたので、災害の発生や、戦争の記録、どこの土地の王様の即位と死亡したのは何年かなどの歴史的な記録がずっと羅列されています。しかし、それは本来の意味では歴史書とは言えません。狭義の歴史書とは、因果関係が書かれていなくてはなりません。過去の出来事を説明して物語って、過去の時代を理解できるように書かれたものを言います。『春秋』はその意味では年表にすぎないのです。

ところが、かなりあとの時代になって、『春秋三伝』という注釈書が別の人によって書かれました。『春秋左氏《さし》伝』『春秋公羊《くよう》伝』『春秋穀梁《こくりょう》伝』という三つの注釈書です。

司馬遷の『史記』よりもあとの時代になって、『春秋』に記録があるこの王様は悪いやつだったから早死にしたとか、この王様はこんなふうに悪かったから戦争で負けたとか、『春秋』

の文章にいちいち説明をつけた。それで、「春秋の筆法」という言い方ができて、だれが極悪人か尊王かを後世の人間が厳しく査定するという意味に使われるようになりました。歴史上の極悪人はあとでさばきを受けるという考え方です。これはキリスト教の「千年王国論」にかなり似ていると私は思います。死んだあとで天国へ行けるか地獄へ行くかを別の人が決める、神様が決めるという気持ちに通じるものがあるからです。

実は大陸の文化は相互に深く影響し合っていて、とくに南方ではインドにも雲南省にもペルシアのゾロアスター教の二元論が広がります。善か悪かというのはたいへんわかりやすい論理なので、子供でもよくわかる。一般の人たちにも非常にわかりやすいので浸透するのです。

司馬遷の『史記』はもっと複雑にできていますが、シナにも結果論が入ってきて司馬遷の歴史観と合体した。天命を失ったのだから悪い、天命があるからいいと言われると、とてもわかりやすくなる。それで、いまの中国人は、負けたやつは天命を失ったのだから極悪人だ、日本は戦争に負けたのだから、したことは全部悪いという、本当に単純な発想になっているわけです。

そんなものは学問でも歴史でもありませんが、侵略か侵略でないかなどと相変わらず議論されています。もし日本が大陸に投資したことが侵略ならば、世界中、大きな国をつくったところはどこも侵略したことになります。そういうふうにあとでレッテル張りに使っている。それは歴史ではまったくなくて、政治そのものです。

シナでは王朝ごとに歴史は断絶し、領土も拡大縮小を繰り返した

シナ史は王朝ごとの断絶の歴史です。モンゴル帝国はまったく中国ではありません。元朝はそもそもが漢字を使わない人が大部分で、漢字を使う人たちは植民地の住民扱いでした。

ところが、漢字で書かれた史料がたくさん残っていたので、明代になって、漢字で書く人が司馬遷の『史記』のフォーマットの中に、明にとって都合のいいように元朝を押し込めたのが『元史』になったのです。

『元史』だけを読むと、いかにもシナ王朝になったというふうに説明されていますが、モンゴル史を研究していくとそれはまったく違うことがわかります。

元朝の領域とモンゴル帝国は広大で、全域で支配層が親戚同士です。一〇三頁の図12に清朝の最大版図が掲載されていますが、その前の明は秦とほとんど同じ程度に小さかったのです。モンゴルの元朝から比べても、あとの清朝から比べても三分の一しかありません。

このように、シナといっても皇帝の血筋は違うし、領土の大きさも違っていて、実際には断絶しているのであって、ずっと続いているわけではないということを、はっきりとわかってい

図16　中華民国は清の領域を支配できなかった

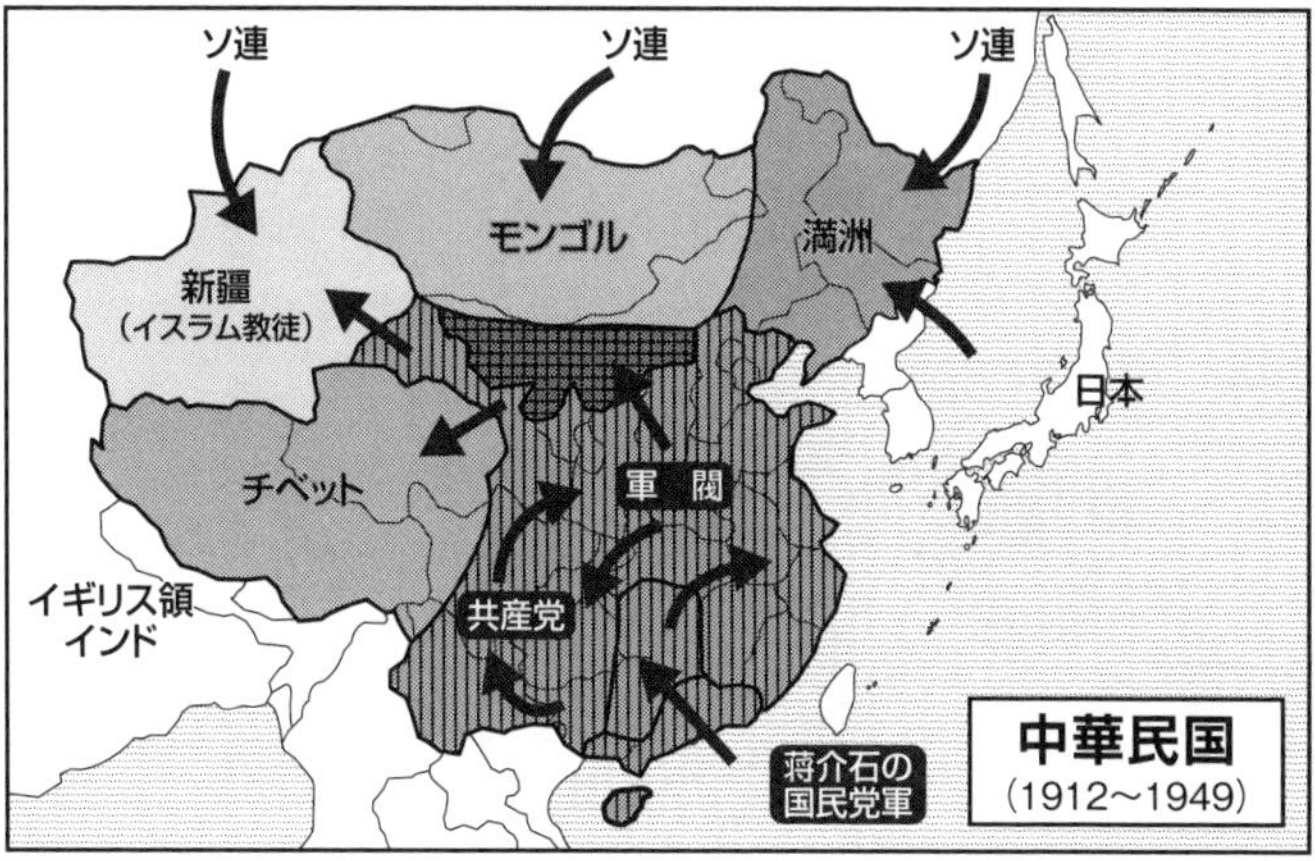

ただきたいのです。

いまの中国は、自分たちは清朝の継承国家だから、清朝の領土は全部中国だと言っています。しかし、清朝を継承しているということも大きな嘘です。なぜならば清朝の大部分、半分以上の地域で、漢字を使ってはいなかったからです。

いまの中華人民共和国も六割は少数民族自治区です。モンゴル、チベット、ウイグル自治区は、二〇世紀までは中国ではなかった。漢字が全然伝わらなかったところでした。すなわち、彼らこそが侵略しているのであって、国内植民地を持っていると言わなければいけない。

中国は、南シナ海は漢の時代から歴史上、中国だとも言っている。しかし、これも完全なでたらめです。二〇一六年七月にオランダ・ハーグの仲裁裁判所が、中国が歴史的権利だとする「九段

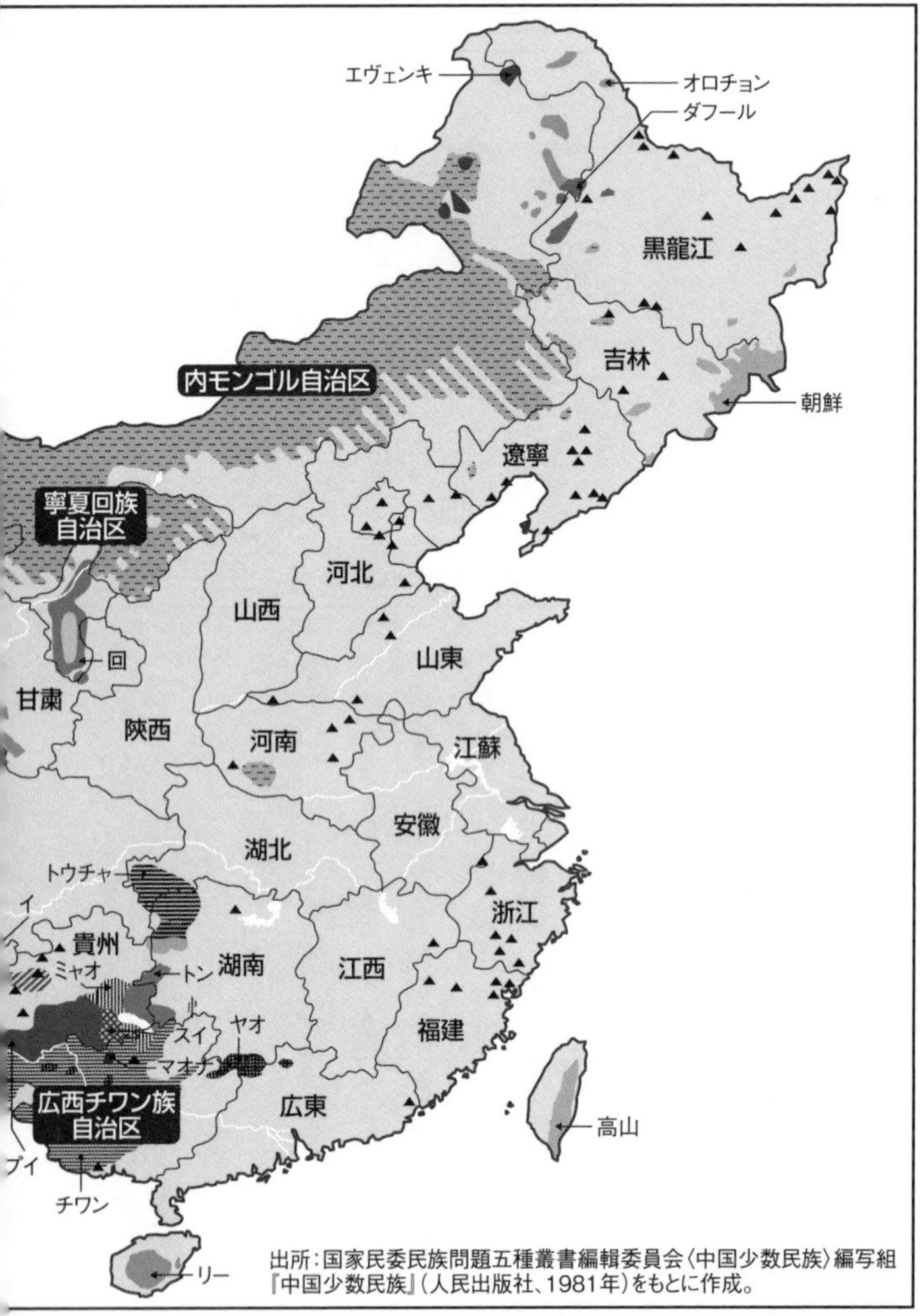

出所：国家民委民族問題五種叢書編輯委員会〈中国少数民族〉編写組『中国少数民族』（人民出版社、1981年）をもとに作成。

図17　中華人民共和国の民族分布図
（モンゴルとチベットとウイグルは清朝時代には藩部）

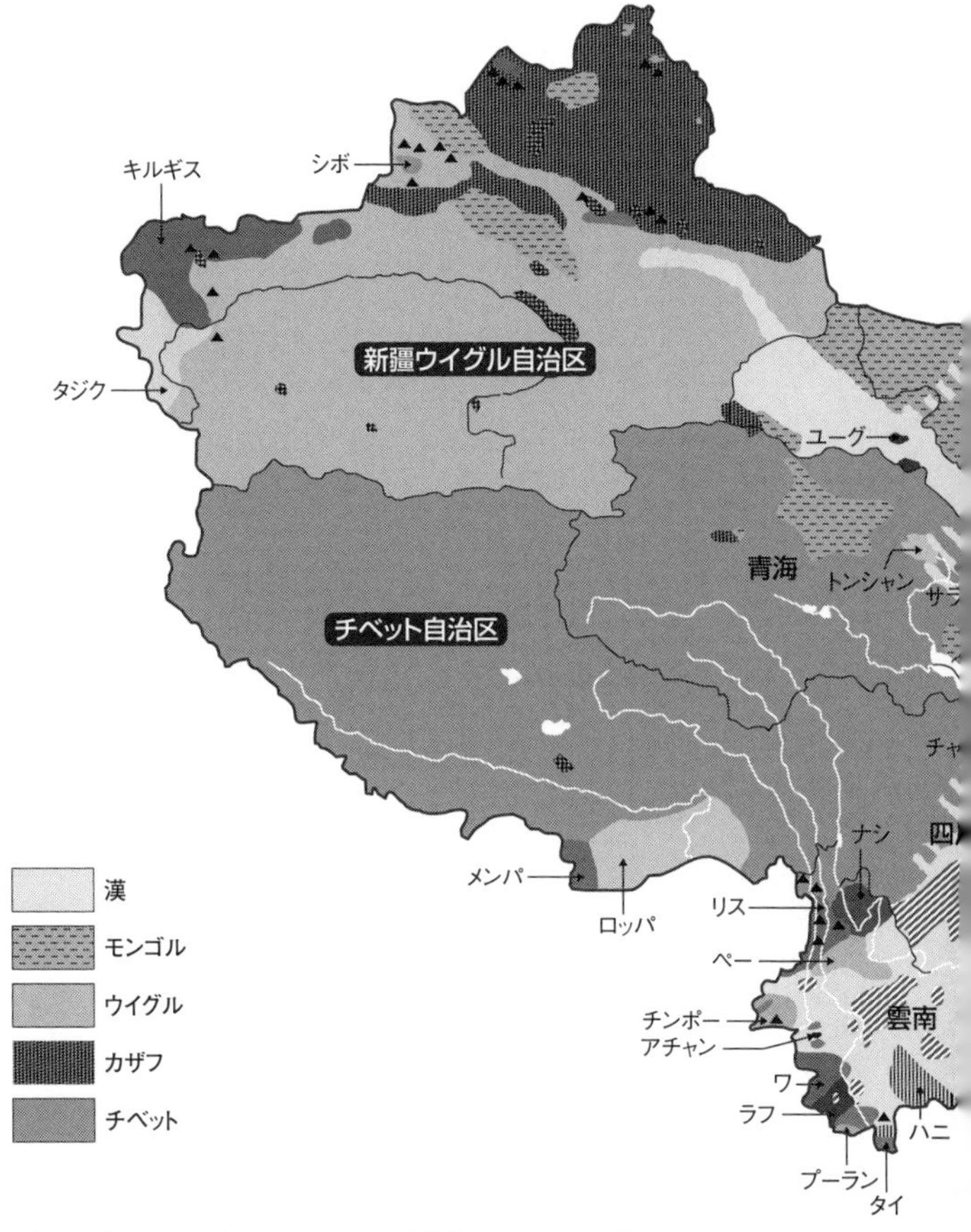

（注）▲は、本地図では地域まで示せませんが、「満、ホジェン、トウ、ボウナン、ウズベク、タタール、オロス、ヌー、プミ、チノー、ドアン、トールン、コーラオ、ムーラオ、キン、シェー」などの少数民族を示します。

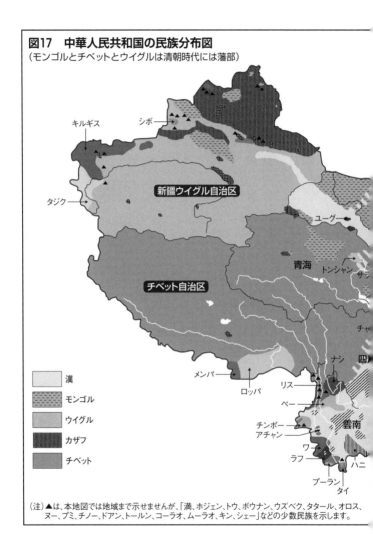

線」について、国際法上の根拠がないと裁定を下してほっとしましたが、中国はこの裁定を「紙くず」と言っていますよね。

漢字を使う人たちは海には興味を持ちませんでした。海を領土だと思ったことなど一度もない。しかも、南のほうは国境の意識もまったくない。言った者勝ちだとしみじみ思いますが、あんな歴史の嘘を言って、強引に通そうとするところなどあきれるしかありません。軍事力の強い方の言うことは全部通せというだけの話です。

二〇〇八年に開催された北京オリンピックで起きたことを覚えている方も多いと思います。開会式で九歳の少女が歌った革命歌曲が、まったく別の七歳の少女が後ろで歌っていた「口パク」だったり、打ち上げられた花火が合成映像だったりと、ヤラセや嘘のオンパレードでした。また、可愛い子供たちが、五五のさまざまな民族衣装を着て行進しましたが、中国では少数民族がみんな一緒に仲良く暮らしているというメッセージです。ところが実際は、全員が漢族の高級幹部の子供たちで、民族衣装を着ていただけだったのです。そういう嘘をまったく悪いと思わないのが中国人です。

都合のいい話はねつ造でもなんでもする。漢字の書や、羅針盤の発明や鄭和《ていわ》の海外遠征などを並べて、シナの歴史をアピールしていたけれども、中華人民共和国の歴史はまったく出てこなかった。共産主義の歴史的評価はいっさいなされませんでした。

過去はすべて自分たちの都合のいいようにあるというふうにしか考えていなくて、どちらがより古くて、どちらがより新しいかという意識もあまりない。そのわりには日本を非難して、正しい歴史認識を持て、日本人は負けたのだから俺たちの言うことを聞けといった言い方をする。中国がなぜそういう主張をするのかという理由は、やはり古い時代の歴史観に起源があるということです。

日本はたくさんの文献を持っています。われわれは古い時代から書いたものがあるから、違う証拠を持っています。ですから、政治家は国際政治の力学にからめ取られるので、とても無理なのかもしれませんが、少なくとも学者は「それは違う。それを証明する文献は見たことがない」と、はっきり言わなければなりません。

朝貢していた国がシナの一部であったことなどない

もう一つ、大事なことを言っておきます。「朝鮮もベトナムも琉球も、清朝皇帝に朝貢してきていた。だから、あれはもともとの中国の一部であり、属国だった」という言い方をして、沖縄は中国だったのを、日本に取られたと言う。

しかし、朝貢というのは単なる外交関係にすぎません。国家として従属するというようなことではない。つまり、王様が皇帝に友好の印を持っていって、皇帝から位を安堵してもらう、認めてもらうということです。

清朝皇帝に琉球の王様や朝鮮王は家来として頭を下げました。だからといって、土地がすべて清朝のものだったわけではない。ましてや清朝がイコール中国だったわけでもないのです。

左の図18を見ればはっきりわかります。清朝では『五体清文鑑』という辞書がつくられました。満洲とモンゴルとチベットとイスラム教徒と漢人地帯の五つがバラバラに統治されていて、満洲人だけがそれらを行き来して支配することができたので、本当に満洲王朝なのです。

ただ、「満洲」という言葉も、いまの中国ではタブーです。そんなことを言ったら、日本の満洲国が正統になるからです。どこまで行っても、政治と歴史がからんでくる。これも司馬遷の『史記』の影響です。

いま中華人民共和国が支配している領土は、昔から中国の領土として認められていた場所で、古い時代から継続的に天命によって選ばれた君主により支配されてきているという。これは司馬遷の『史記』の枠組みのままです。

天が決めてくれた領土は、昔から中国人のもので、途中で異国人が来てかすめ取られたり、違う宗教が入ってきたり、違う文字が入ったり、さまざまな間違いがあったけれども、やっと

図18　満洲人の建てた清の最大版図（漢人の住むシナと藩部に分かれる）

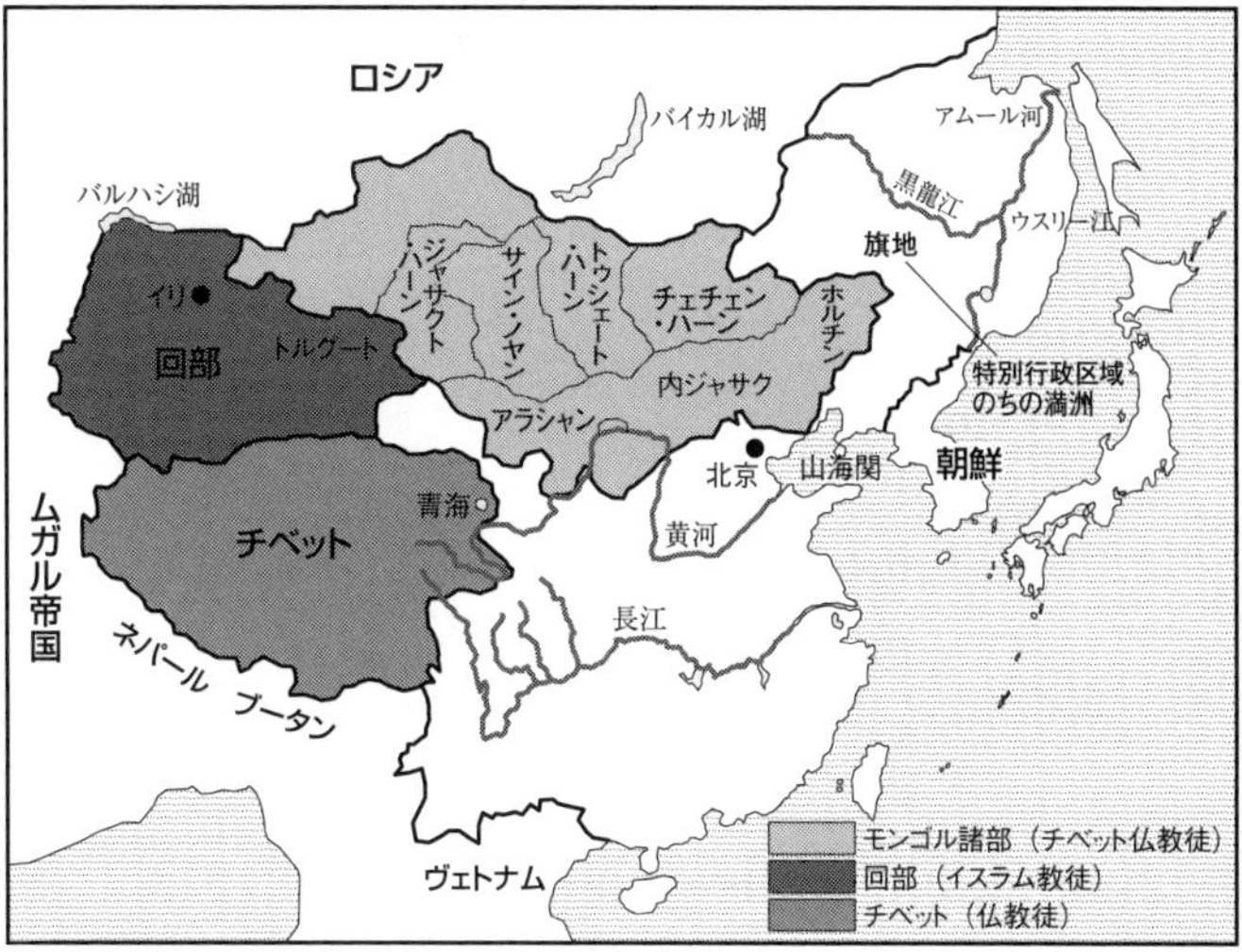

祖国に復帰したという。

チベットやウイグルに軍隊、共産軍を送り込んだときも、「祖国復帰」と言いました。それは司馬遷の枠組みそのままです。要するに、自分たちのものになると決めてもらっていた場所を取り返したという。彼らの歴史はずっとそういうふうにできていて、手に入れたものは昔からわれわれのものだったという。この堂々めぐりが永遠に続くのです。

シナでは他人の土地を侵略した簒奪者だと思われるのが、いやなのです。それでは正統性が維持できないからです。だから、言い換えていくしかない。つまりどこまで行っても、嘘で塗り固めていく。彼らはそれを嘘とは考えない。それを歴史認識、正しい歴史だと強弁するのです。そんな人たちとは共通認識を持つことが最初からできません。だから、話し合って理解しあおうなどとは思わないでほしいのです。

彼らはなぜそういうふうに考えるかというと、始まりの司馬遷の歴史観がそうだったからとしか言いようがありません。これも堂々めぐりの循環論になります。人間は最初に植えつけられた考えを捨てることが、いかに難しいかということです。

また、集団をまとめるために嘘をつく。幻想でもいいから、自分たちは昔から仲がよかったなどとごまかしてお互いに一つの集団をつくる。敵を見つけては、ああいうやつらとは違うから、われわれは仲よくしようなどと無理に無理を重ねる。

とくに現代の世界は昔ほど単純ではなくて、まわりは敵ばかりです。昔は敵の敵は味方で「合従連衡《がっしょうれんこう》」がシナの歴史でしたが、いまやその外側に外国があって、その外にもある。しかも司馬遷のときは、司馬遷が書いたあと、気に入らないで採用しなかった不都合なものは全部、焼いて捨てた。シナは焚書の国なので、自分たちにとって都合の悪いものは焼けばよかった。

ところが、いまは別の文字、別の言葉で書いたものが世界中に残っているので、当然、つじつまが合わなくなる。そうすると、彼らは、それも焼いてしまおう、と考える。中国人留学生が日本の図書館にやってきて、日本の古いものを持ち出して破って焼いているそうです。

そうやって話だけでも、つじつまを合わせる。書いたものだけで、つじつまを合わせる。自分たちが正しいことにするのが歴史だからです。とても日本人が一緒にやっていけるような人たちではないのです。

マルクス主義から言うと中国はアヘン戦争以前は古代に分類される

実は現代中国にとって、歴史がいかに厄介な問題なのかという大事な話を指摘しておく必要があります。中華人民共和国はマルクス主義をテーゼとして採用した中国共産党によって一九四九年に建国されていますが、マルクス主義の歴史観を自分たちの国に当てはめることに大失敗しているのです。

マルクス主義の歴史観では、古代、中世、現代、未来に時代区分され、奴隷制、封建制、資本主義、社会主義という段階で発展すると考えます。ところが、シナ史における封建というのは、武装移民が新しい土地を占領して町を建設することなので、シナの場合は秦の始皇帝が統一したときに封建制が終わったことになります。そうするとシナでは古代の前に中世があることになります。

なぜこのような問題が起こったかというと、明治時代に日本人が、フューダリズムを封建制と翻訳したせいですが、さらにどこからが現代になるのかといっても、二二〇〇年におよぶ長い皇帝の歴史をマルクス主義歴史学では時代区分しようがなかったのです。

そこでどうしたかというと、一八四〇年のアヘン戦争以前を古代に区分して、それから以降を現代だということにしました。日本のような精密な歴史観を持つ国では考えられないようないいかげんな歴史区分です。

毛沢東が決めた現代中国の歴史では、一八四〇年のアヘン戦争によって、中国民衆による反植民地運動が始まって、そこからが現代だと言うのです。中世も近世もありません。彼らは古代と現代の二つに分けた。ここも二元論です。そして、古代は全部、悪かった。現代も前半は世界の列強によって植民地化された。列強も悪かったが、日本も悪かったと言う。

なぜ一八四〇年のアヘン戦争を時代区分の節目として選んだのかと言えば、中国の近代化に日本が果たした役割を消去したかったからです。

実は日清戦争に負けた衝撃は、日本人が思う以上に中国人にとって大きかったからです。それまで属国に等しいと考えていたちっぽけな日本に完敗した。そのあと、清朝は日本に大量の留学生を送って、日本を真似て本格的に近代化を始めた。

さらに清朝が崩壊する原因となった一九一一年の辛亥革命の中心となったのは、日本に留学して陸軍士官学校を出た軍人たち、清朝の新式軍隊の将校だった。中国の近代は日本がなければありえなかったのです。これが彼らには都合が悪かった。日本にはなんの影響も恩恵も受けていない。日本は悪いことしかしなかったという歴史にしたい。要するに、善悪二元論の悪のほうに日本を入れて、日本が教えたり助けたりしたことは、何もないことにしたのです。歴史も都合が悪ければ変えてしまうのがシナの文化です。

一九七八年には鄧小平が社会主義市場経済を始めると宣言して、いまの経済成長が始まった。しかし、これも矛盾した話です。市場経済というのは資本主義です。社会主義ではない。それなのに中国独自の社会主義だと言って、ごまかす。彼らはそういうふうに、言葉が論理的に矛盾していようが一切気にしないで、自分たちの利益だけを考えて生きてきたということを日本人は知るべきです。

中国は日本に対して、一三億の民が日本に対して怒っているといつも言います。現在の習近平主席の演説でも、「中国人民は日本に侵略された」と持ち出す。この人民は、私から見たら昔の「天」の代わりです。「天が決めた」「天が怒っている」と言っているのと同じです。最近はさすがに「天」とは言えなくなったので、「人民」と言い換えているだけなのです。しかし、そう言いながら、人民総体の意見を吸い上げたこともなく、選挙もしたことがないのですから、この人民とはだれのことなのか。人民の主体がわかりません。

このように、どこまでいっても、シナというのはとてもたいへんな国です。日本人がこのことを知るということがすべての出発点だと私は思っています。

第7章

日本文明はいかにして成立したか

『日本書紀』の歴史観にとらわれ続けている日本人

「日本文明」とは何か。この第7章と次の第8章では、私たちにとってはもっとも大切な祖国、日本という国家が成立した日本古代の歴史について説明します。

私たち愛国的な日本人はみんなそうですが、日本は海の向こうの大陸とは違って、縄文の時代からみんな仲良く暮らしてきて、紀元前六六〇年からは万世一系の天皇陛下のもと、歴史が途切れることなくずっと続いている。これこそが中国や朝鮮半島とはまったく違う日本の歴史だと自負しています。

しかし、アジア史を研究している歴史学者の立場から見れば、残念ながら紀元前六六〇年に日本があったとはとても言えません。また、「天皇」という称号も「日本国」という国号がつくられたのも、七世紀末の天智天皇の時代であったことは、漢字文献で明らかです。

ところが、日本人は、中国・韓国に対する正確な理解や批評は好きでも、日本の神話と日本の天皇の成り立ちを歴史のリアリズムで汚されたくないと思う。そこが非常に難しいところです。

実はこの日本の歴史についても岡田英弘はたいへんしっかり研究しています。ここで説明する内容はほとんどが岡田英弘著作集の第三巻『日本とは何か』に入っていますので、さらに知りたい方はこの本をぜひお読みください。

日本は中国とはまったく違う歴史を歩んできました。それは縄文時代の縄文人と呼ばれている人たちに端を発しています。縄文人は現在のわれわれが思うよりもはるかに文化が高く、長い年月を平和に暮らしていた。それが考古学の発掘資料として出てきています。

そして、縄文土器を見てもわかるように、シナの、大陸の影響を受ける前から日本列島には独特のものがあったと美術史家も言います。それは素晴らしいことです。決してそれは否定できません。それぞれの土地には独特の文化があるからです。

図19　『日本書紀』が描く天下（世界）

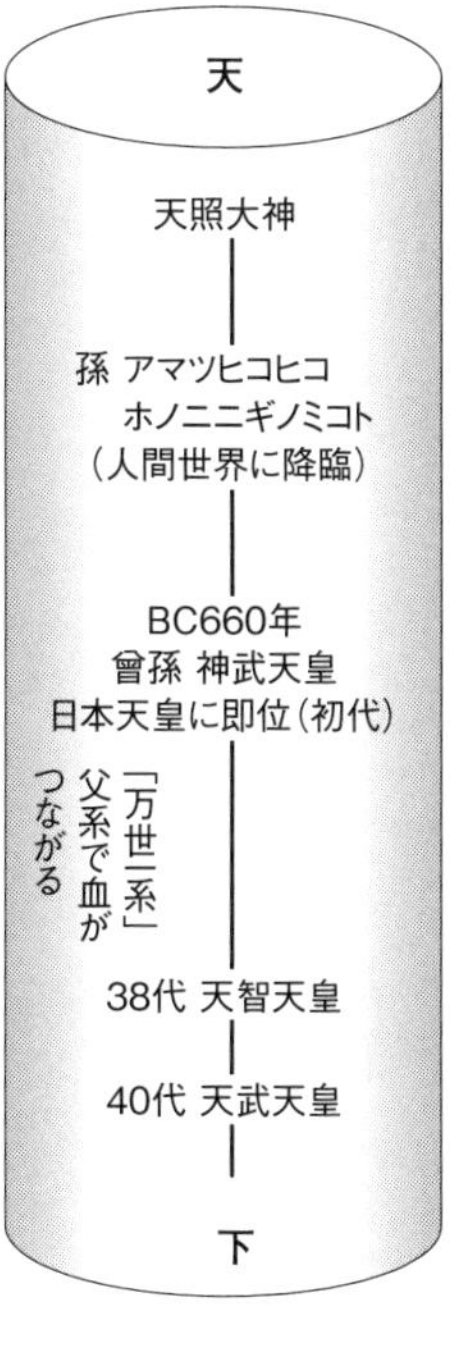

しかし、本書の初めに、歴史は文字があって、記録があり、時間の流れをきちんと書き留めて、因果関係を明らかにするものだと定義しました。このような狭義の歴史は、日本が文字を持つようになったところからしか始まりません。ここはきちんと分けて考えなければいけません。

こういう歴史の条件をなぜそんなに重要視するかといえば、狭義の歴史の枠組みによって、人間の歴史の見方は大きく変わってしまうからです。ヘーロドトスの歴史が、いまのヨーロッパ人の世界観にいまだに影響を与えている。司馬遷の『史記』の歴史観が、現在の中国にそのまま影響している。実は『日本書紀』の歴史観も、やはりいまの私たちに本当に強い影響を与え続けている。歴史の始まり、最初の歴史が書かれたときの枠組みを無条件に私たちは受け入れて世界を見ているのです。

ですから、狭義の歴史の始まりが私たちのいまにどれほど影響しているかを理解するためには、どのようにして始まったかを知らなければいけません。いま中国と韓国が日本に仕掛けてきている歴史戦に対抗するためにも、日本国がどのようにして大陸や半島からの影響を受けないための国をつくったか。その本当の姿をしっかり見ることが必要です。

シナ文明に対抗して日本文明はできた

シナ文明に対抗して日本文明はできた。日本文明はシナの対抗文明であることは前にも述べました。アジアで一番古い歴史文献は司馬遷の『史記』です。それは黄河文明の中心の洛陽盆地に首都を置いた漢王朝で、紀元前後に漢字で書かれました。それでも「中国五〇〇〇年」は嘘で、「シナ二二〇〇年」です。紀元前二二一年、秦の始皇帝が戦国七国を統一したのが支那＝シナ（China）の始まりだからです。

この秦の成立の少し前から日本列島は弥生時代に入ります。シナ文明は前述のように、遠隔地に置いた町をネットワーク化する商業文明です。日本列島は古くから人口が多く、正式な史料はありませんが、シナ大陸との交流があったに違いない。さらに日本には金、銀、銅などの金属資源が豊富にありました。古い時代から日本は黄金の国「ジパング」（ヨーロッパに伝わったこの言葉は、一三世紀にモンゴル人が建てた元朝時代、日本国という漢字を当時の北方方言で発音したものです）だったのです。明治時代までには金も銀も銅も採掘し尽くしてしまいますが、江戸時代には佐渡の金山、石見の銀山などが有名でした。海産物も豊富に採れました。記録にはありませんが、大陸から多くの商人が朝鮮半島を通って日本列島にやってきたことは間違いありません。

縄文土器から弥生土器に変わり、稲作も始まり、大陸からいろいろな人が来た証拠もあります。まだ古墳はありませんが、古い地層からたくさんの土器が発見されています。そうした遺跡から類推すると、もともと日本列島は気候が温暖で、人口が多かった。縄文時代にも集落があり、移動しない村の存在が最近ははっきりわかっています。

『漢書』で初めて日本列島の記録が書かれた

初めてシナを統一した秦を滅ぼして王朝が交代した漢の第七代皇帝が、司馬遷が仕えた武帝です。彼は拡張主義者で、これまで貿易関係があった土地をすべて直轄支配しようとした。北に遊牧民を追い、南はいまのベトナム、西は雲南まで遠征し、朝鮮半島はいまの釜山まですべて軍事占領して、直轄領として四郡を置きました。郡は、前に述べたように皇帝直轄の軍隊を置いた町のことです。

楽浪郡《らくろうぐん》、臨屯郡《りんとん》、玄菟郡《げんと》、真番郡《しんばん》の四郡がどの町に置かれたかはよくわかりません。しかし、一番南に真番郡があり、一万人を超す漢人が入植したとあります。まだ漢の時代なので、「漢人」です。朝鮮半島の南に一万人もの漢人商人が来て、どこで儲けるかといえば、それは日本

図20 漢の武帝が朝鮮半島に四郡を置く

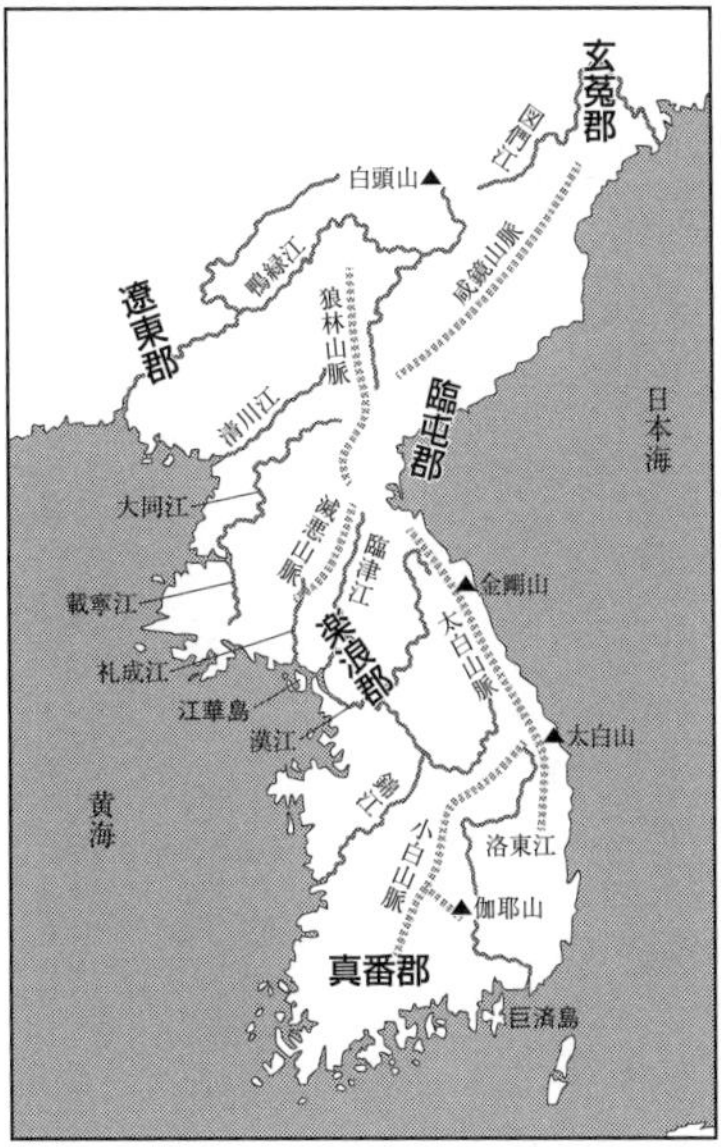

列島でした。

考古学の発掘調査からわかるのですが、それまで日本では内陸の川の扇状地に人々が多く居住していたのが、このころから海沿いに住むようになっています。実は海沿いの土地はあまり環境がよくありません。水は塩分を含んでいるし、マラリア蚊などもいるからです。そのため、縄文時代は山のふもとの平地が広がる扇状地で、川の水が流れていて、山に行けば食べ物があり、川でも魚が採れるというところに集落がつくられたのです。ところが、この時代からは海沿いの土地が開けていきます。その理由は、海から何かがやって来たからです。海から商人が来て、商売をするようになったからだと思われるのです。

ところが漢の武帝が死ぬと、直轄の郡はお金がかかるので、朝鮮半島は遠方の真番郡と臨屯郡を廃止し、日本列島との貿易は楽浪郡の管轄に移されます。そこに初めて日本列島の記録があらわれます。これが有名な『漢書』の「楽浪の海中に倭人有り。分かれて百余国となる。歳時をもって来たりて献見す」という記述です。ここで初めて日本列島のことが記録されるのです。

これは、倭人のほうから船に乗って楽浪郡にやってきたということです。なぜ倭人が朝鮮半島の漢の町に行くようになったのか。おそらく、それまでは自分たちのところへ漢人が来ていた。それが引き揚げてしまったので、日本列島の海沿いに住んでいた人、あるいは入植した人たちが商売のために出かけていったと考えられるのです。

この『漢書』には日本に一〇〇も国があったと書いてありますが、前にも説明したとおり、漢字の「國」は城壁に囲まれた町のことです。シナでは郡も県も、町のことです。土地支配よりも前に、まずは城壁のある町をつくって、直轄の商人、軍人、役人をそこに住まわせて、そこから周りに出ていく。これに対して日本には城壁がなく、柵ぐらいしかない。しかし、それを漢字で「国」と呼んだのです。これは、日本列島にはすでに海を越えて朝鮮半島やシナ大陸と商売をするような町が一〇〇以上できていたということだと私は思います。

「魏志倭人伝」をそのまま信じると日本はグアム島にあったことになってしまう

この『漢書』の後、後漢の光武帝の時代の五七年、「倭奴国《わのなこく》が貢を奉じて朝賀し、使人はみ

図21　邪馬台国の女王卑弥呼が遣使した魏

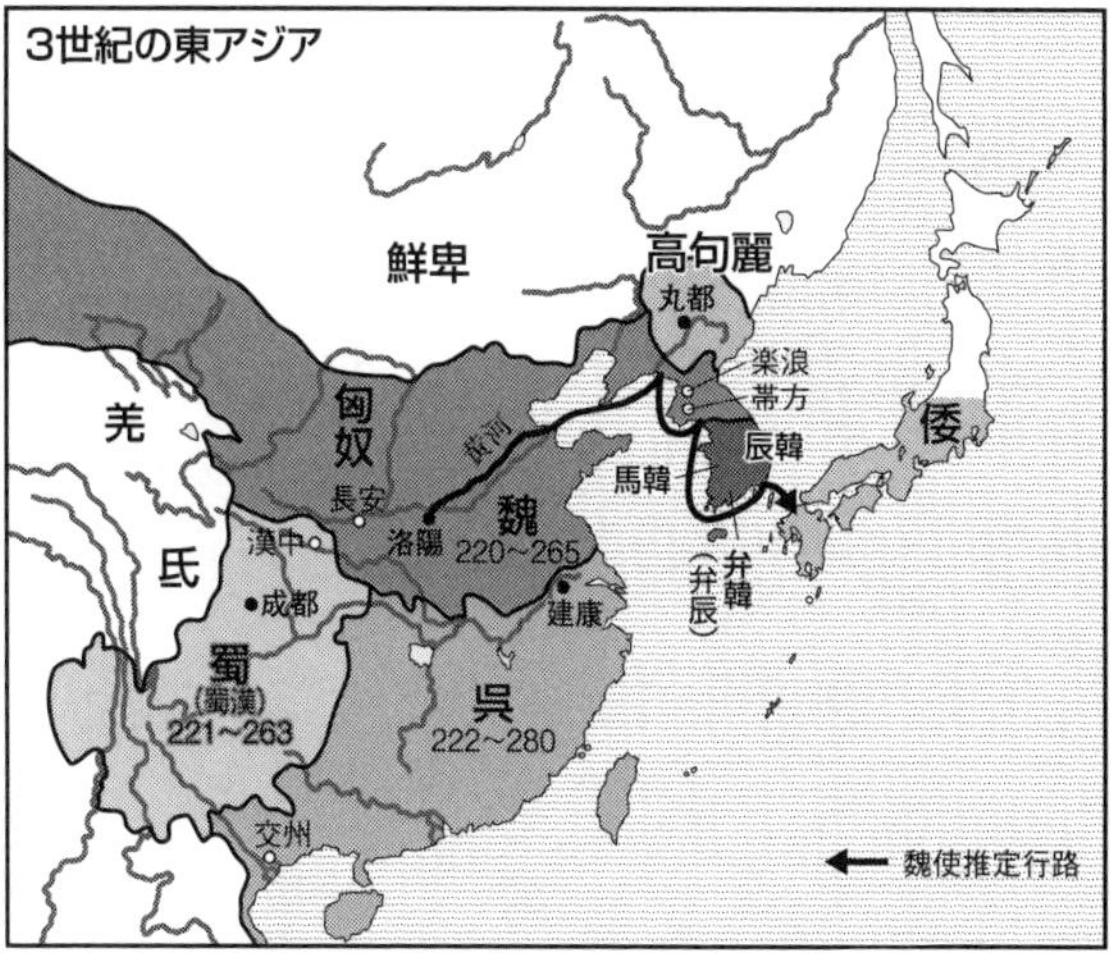

ずから大夫と称す。光武帝は賜うに印綬をもってす」という記録があり、福岡の志賀《しかの》島《しま》で「漢委奴国王」と刻まれた金印が発見されています。そのあと三世紀の邪馬台国の卑弥呼の時代まで倭人の記録がなくなります。もちろん日本列島で何もなかったのではなく、シナ大陸のほうに大問題があったからです。

一八四年に後漢で黄巾《こうきん》の乱が起きてシナは分裂して、『三国志』の舞台になっていきます。三国時代から五胡十六国時代にかけて、シナ大陸は内乱で国は乱れ、人口は激減して、記録も取らなくなります。当時の日本列島の記録が残らなかったのは、すべて大陸で戦争があったり、王朝が交代したせいです。

邪馬台国の卑弥呼は、魏、呉、蜀の三国時代の魏に使いを遣わした倭の女王です。魏は『三国志演義』では悪者扱いですが、当然ながら本当の正史の『三国志』では一番大きくて最強の国でした。ただし、一五五頁の図21で示した歴史地図は魏の領土が大きすぎますし、呉も蜀も、こんなに広い地域は支配できていません。教科書などの領土の色分けは、便宜上とはいえ史実からは遠いものです。

日本の古代史で必ず言及される「魏志倭人伝」ですが、これは『三国志』のうちの一つの『魏書』の「東夷伝」の最後に出てくる記述で、「東夷」とは東の野蛮人という意味です。この「東夷伝」の最後に「倭人《わじん》」の項があって、見開き二頁におさまる程度で、全文は二〇〇〇字足らずの文字量しかありません。そこに邪馬台国に遣わした使者の記録として、途中の町の名前と行き方が出てきます。

朝鮮半島の帯方郡《たいほう》から海沿いに狗邪韓国《くや》まで七〇〇〇里、海を千余里渡ってやっと対馬、対馬から壱岐まで一〇〇〇里とある。対馬と壱岐はすぐ隣同士です。朝鮮半島の釜山あたりから海を千余里渡って対馬、さらに一〇〇〇里渡って壱岐というのは、おかしい。さらに壱岐から一〇〇〇里、海を渡ってやっと末盧国《まつら》になる。末盧国は唐津だとはっきりわかっています。そこから東南へ五〇〇里で伊都国《いとこく》、東南へ一〇〇里で奴国《なこく》。そこから東へ一〇〇里行って不彌国《ふみこく》。

南へ二〇日も船に乗っていって投馬国《とうまこく》。さらに二〇日船に乗って、そこから一カ月歩いて邪馬台国だという。

そもそも帯方郡がどこかはわかっているのですから、「魏志倭人伝」を素直に読むと、朝鮮半島の東南端の狗邪韓国は小笠原諸島あたり、そこから五〇〇〇余里の邪馬台国はグアム島あたり、朝鮮半島自体がインド亜大陸ほどの巨大な陸地になってしまうのです。

里という距離の単位は足の歩幅が基準ですから、時代によってそれほど変わりません。日本史家は作為的に「魏志倭人伝」の場合だけ里を一〇分の一にするなどとしますが、それには無理がある。また人口についても、当時の魏の都である洛陽でも一〇万戸以下でしたから、邪馬台国の人口七万余戸は多すぎる。

倭人は身体に刺青をして潜って魚を獲るといったような「魏志倭人伝」の記述を見ると、シナの使者は本当に邪馬台国を訪れたことがあるらしい。それなのにこの道里が全然合わないのはなぜでしょう。岡田英弘は素晴らしい推理を展開します。

「魏志倭人伝」の作者は大月氏国を念頭に邪馬台国を遠方の大国とした

「魏志倭人伝」と同時代に書かれた漢字文献を丁寧にあたって調べてみると、この邪馬台国の

図22　邪馬台国とライバルにある大月氏

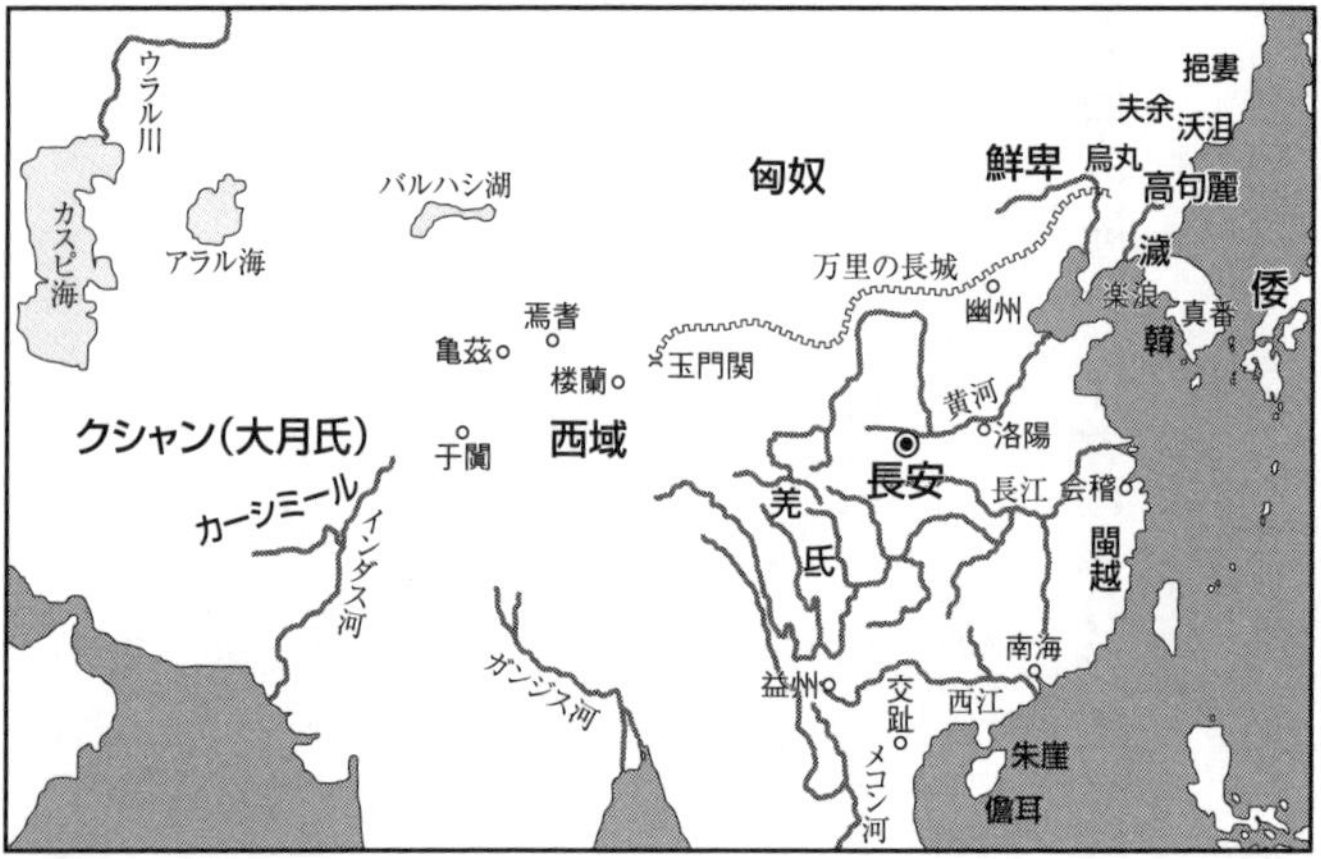

女王卑弥呼の使者を迎え入れた人物には、ライバルがいました。そのライバルは、現在のアフガニスタンにあった大月氏《だいげつし》国を担当していて、その大月氏国の君主が「親魏大月氏王」の称号を魏の皇帝から授けられたと書いた文献がありました。この大月氏に対抗して、東夷の国で一番遠くて大きい邪馬台国の女王に「親魏倭王」という称号が授けられたのです。

魏の東方担当と西方担当は、歴史上もずっとライバルで、結局、東方担当だった卑弥呼のスポンサーの司馬氏が勝ち残り、その子孫が次の王朝の晋を建てます。『三国志』を書いたのは、その晋の史官で司馬氏に恩義があった人でした。

魏の皇帝から「親魏大月氏王」の称号をもらった大月氏国は、図22にあるように、洛陽から一万六三七〇里の距離にありました。同等の格の邪馬台国があまりに近くて小さな国では、呼んだ方の面子が立たないので、大月氏と同じ距離にして、人口も大月氏の都と同じくらいにしようと、邪馬台国の女王のいる町は七万家族いると実際よりも大きく見せた可能性があります。

そもそもがシナの漢字で書かれた文献は、何のために書くかという目的がはっきりしています。自分の仕える皇帝がいかに正しいか、天命がおりたから正義があると書く。二〇〇〇年後の日本人のために書いてくれたわけではありません。

日本人は、漢字で書かれたものは、すべて本当のことが書いてあるという前提で読むので、最初からボタンのかけ違いになってしまうことが多いのです。

方位も距離も嘘だとしたら、邪馬台国はどこにあったのか。未来永劫わかりません。北九州説といまの奈良の畿内説の間で、いまだにずっと論争が続いているのは、どちらからも立派なものが出てくるからです。

いまの天皇陛下につながるのは畿内のほうです。しかし、大陸から来たものは北九州を通るから、どちらからも出てくる。たとえいつか将来、「親魏倭王」の判子が出てきても、判子は持って歩けるので、そこが邪馬台国だったかどうかはわかりません。

また、人口の多い町の遺跡が出てきても、それが邪馬台国だったかどうかはわかりません。なぜなら、邪馬台国は魏に使者を遣わした町にすぎないからです。大陸に使者を遣わさなかったところにだって、たくさんの人が住んでいた可能性がないわけではない。そう考えると、残念ながら本当のことはわからないとしか言いようがありません。

推古天皇と聖徳太子は漢字史料からは確認できない

日本の歴史を考えるうえでさらに重要な問題は、推古《すいこ》天皇と聖徳太子の名前が漢字史料には出てこないことです。日本の歴史の始まりにとって、この二人は非常に大切な存在で、『日本書紀』は熱心にその事績に触れています。

ところが、同時代の記録である『隋書』には、六〇〇年に、阿毎多利思比孤《あまたらしひこ》阿輩鶏彌という倭王(男)の使者が隋の都の大興(西安)を訪問。六〇八年にも多利思比孤の使節が隋に朝貢し、「日出《い》づる処《ところ》の天子、書を日没する処の天子に致《いた》す。恙無《つつがな》きや」という国書を隋の煬帝《ようだい》に手渡したとあります。七二〇年に完成した『日本書紀』では、六〇七年に女の推古天皇が小野《おのの》妹子《いもこ》を遣わしたとなっていますが、『隋書』には倭王は男と書かれていて、推古天皇ではないのです。隋のほうでは、邪馬台国の女王卑弥呼《ひみこ》がいた国からの使者と知っているのだから、『隋書』が男王だとわざわざ嘘を書く必要はありません。

隋の煬帝は怒って「蛮夷《ばんい》の手紙に無礼なものがあれば、今後は奏上するな」と言ったと『隋書』に書いてある。しかし、それについては『日本書紀』は何も書いていません。

いま私たちが教科書で習うのは、明治になってから、大陸の漢文の歴史書を読んだ日本史家が、これを聖徳太子が言ったことにしたものです。そのとき、日本にはまだ天皇という称号はありませんが、倭王は男で奥さんと太子、つまり息子がいたと書いてある。この矛盾をどう解決するのか。

『日本書紀』ができたのは、遣隋使から一〇〇年以上あとですから、『日本書紀』が成立したときの日本側の事情も考えなければいけません。そうなると残念ながら、『日本書紀』が書いたことがすべて史実だとも言えないのです。

しかし、このことで日本人が失望する必要はまったくありません。なぜなら、そもそもが漢字で書く、あるいは文字で書く、何か残すというのは、その当時のどうしても必要な動機があったということです。このことを私たちは理解したうえで、当時の日本の状況を考えなければいけません。

国を愛することは大事です。本当のことを明らかにして戦うのも大事です。けれども、自分たちだけは特別で、日本だけが正しく、残りの世界はみな嘘つきだなどと言ったのでは、やはり筋が通りません。

司馬遷の『史記』も嘘をついている。ヘーロドトスの歴史も史実かどうかはわからない。同じように、日本がつくった『日本書紀』も、当時の日本を取り巻く状況から、日本列島に住む人たちを一つにして外に対抗しなければいけないという危機感からできています。それがその当時、日本で最初の歴史書がつくられた理由です。

『日本書紀』が日本最初の歴史書で、『古事記』はあとでつくられたものです。それについては、次章の最後に詳しく説明します。

第8章

『日本書紀』の歴史とは何か

東アジアの大激動期に日本は成立した

私の専門はモンゴル帝国の歴史ですが、モンゴル人が足跡を残したところを追いかけ、遊牧民の通史を研究している過程で、近現代史において、なぜ日本は満洲や朝鮮、台湾に対して、自虐史観と呼ばれる懺悔《ざんげ》のような、ある種の特別な思いを抱くのかをずっと疑問に思っていました。ごく最近になって、その感情が『日本書紀』の世界観、歴史観と関係しているのだと思い至りました。本章では、『日本書紀』がいかに日本のいまの歴史観、日本人の世界観に影響を与えているかについて考えてみたいと思います。

『日本書紀』はまさしく日本の誕生を記録するために書かれた歴史書です。なぜ日本国が誕生したのか。日本が唐・新羅《しんら》連合軍と戦った白村江《はくそんこう》の戦いから、説明を始めます。

隋と唐は、日本が遣隋使、遣唐使を送っていたので、日本人にはなじみのあるシナの王朝ですが、隋も唐も、もともと大興安嶺《だいこうあんれい》山脈の北のほうにいた鮮卑《せんび》族が建てた王朝です。鮮卑族は平原の遊牧民というよりも、山中で狩猟生活をしていた狩猟民に近い系統で、軍事力が強かった。この鮮卑族が大興安嶺山脈から南に下りてきて、三国時代のあとの五胡十六国の乱のときにシナの北部を支配して北魏をつくった。そのあと、隋と唐を建国する。つまり、古い時代の

図23　高句麗・新羅・百済の三国と倭国

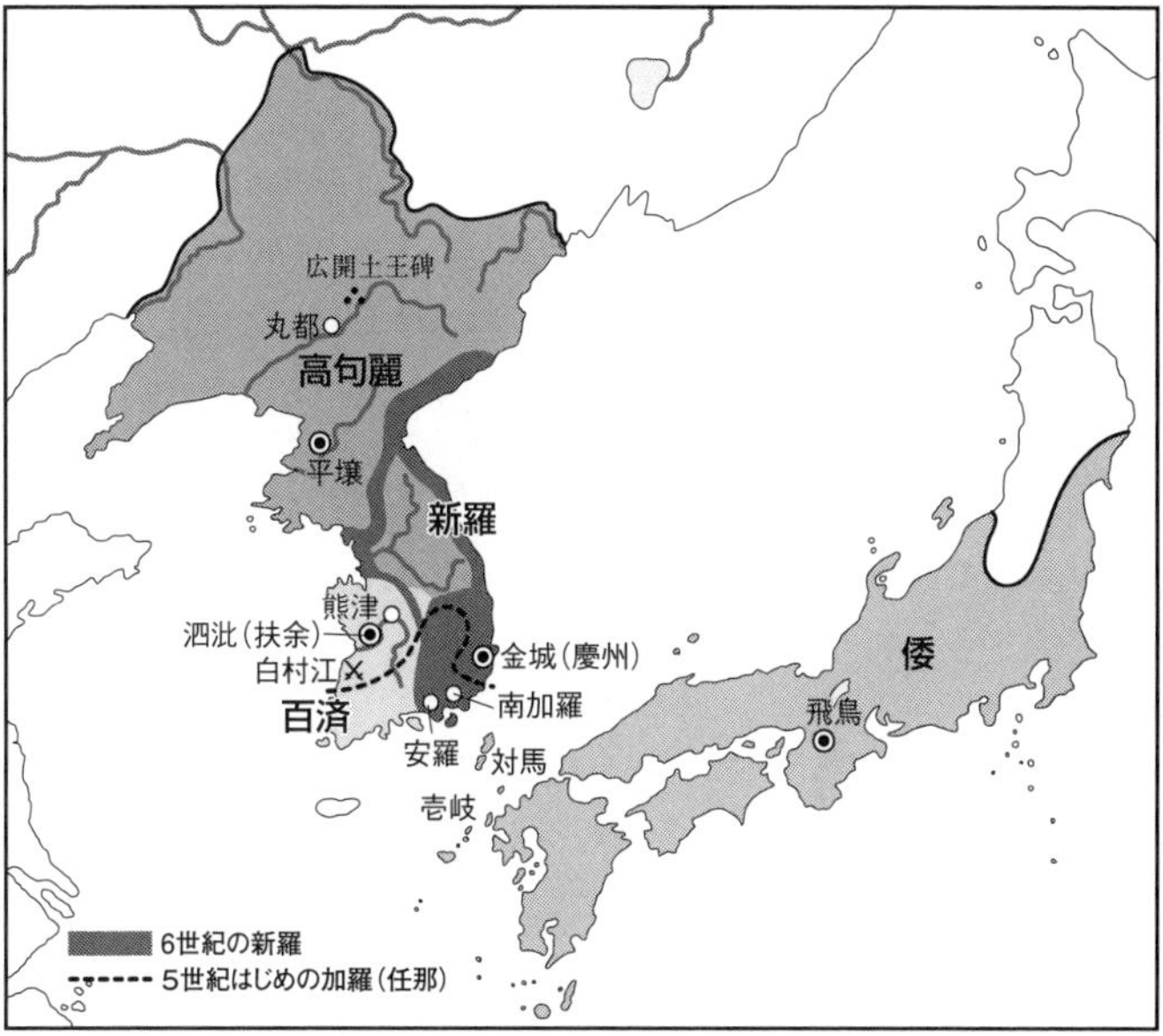

秦、漢のシナ人とは人種の違う人たちだったということです。

当時、朝鮮半島は高句麗《こうくり》、新羅《しんら》、百済《ひゃくさい》の三国に分かれていた。唐にとっては一番大きな敵が高句麗でした。高句麗は、いまの中国東北地方、かつて満洲だったその南満洲からいまの北朝鮮のあたりに広がっていた国です。この高句麗を継承したのが高麗で、それを継承したのが李氏朝鮮で、そこから現在の北朝鮮、韓国へと続くわけです。

高句麗はとても強くて、隋は高句麗征伐に失敗して短命に終わったくらいです。唐も高句麗に戦争を仕掛けるけれども、高句麗の頑強な抵抗にあってなかなか成功しない。そこで唐は、高句麗の東側に位置する新羅と同盟して挟み撃ちにしようとしました。

ところが、高句麗を攻略する前に新羅の敵である百済を先に倒すことにして、六六〇年に唐軍は海上から半島南部に上陸して百済を滅ぼしてしまいます。百済は日本列島の倭王の同盟相手でした。そこで大陸の戦争に日本も巻き込まれることになりました。

百済はいまの韓国西部にあった国です。百済は倭王に援助を求めて王子が亡命し、難民もたくさんやって来ました。当時は斉明女帝の時代でした。女帝自らが船団を率いて百済を助けにいこうとしますが、その途次、斉明天皇は九州の朝倉宮の陣中で亡くなります。その後、六六三年に白村江で倭の艦隊は唐の艦隊と戦って全滅してしまいます。

このときはまだ日本という国はありません。斉明女帝亡きあと、倭軍を率いていたのは息子の中大兄皇子《なかのおおえのおうじ》だったと思われますが、手ひどい敗戦を喫してあわてて軍を引き揚げます。北九州に水城《みずき》と呼ばれる防御のための土塁を多数つくり、四国の北方にも砦を建てて、それまで難波にあった都を琵琶湖の近くの近江の大津宮まで移すのです。唐の軍隊が北九州に襲来して、そのまま瀬戸内海を攻め上がってくることを恐れたのです。

それまでは倭人にとって、朝鮮半島とシナ大陸だけが世界でした。ところが、いまにも唐軍が日本列島に上陸して倭人を征服し、シナ領にされてしまう危険が迫った。

図24　唐の版図と白村江の戦い

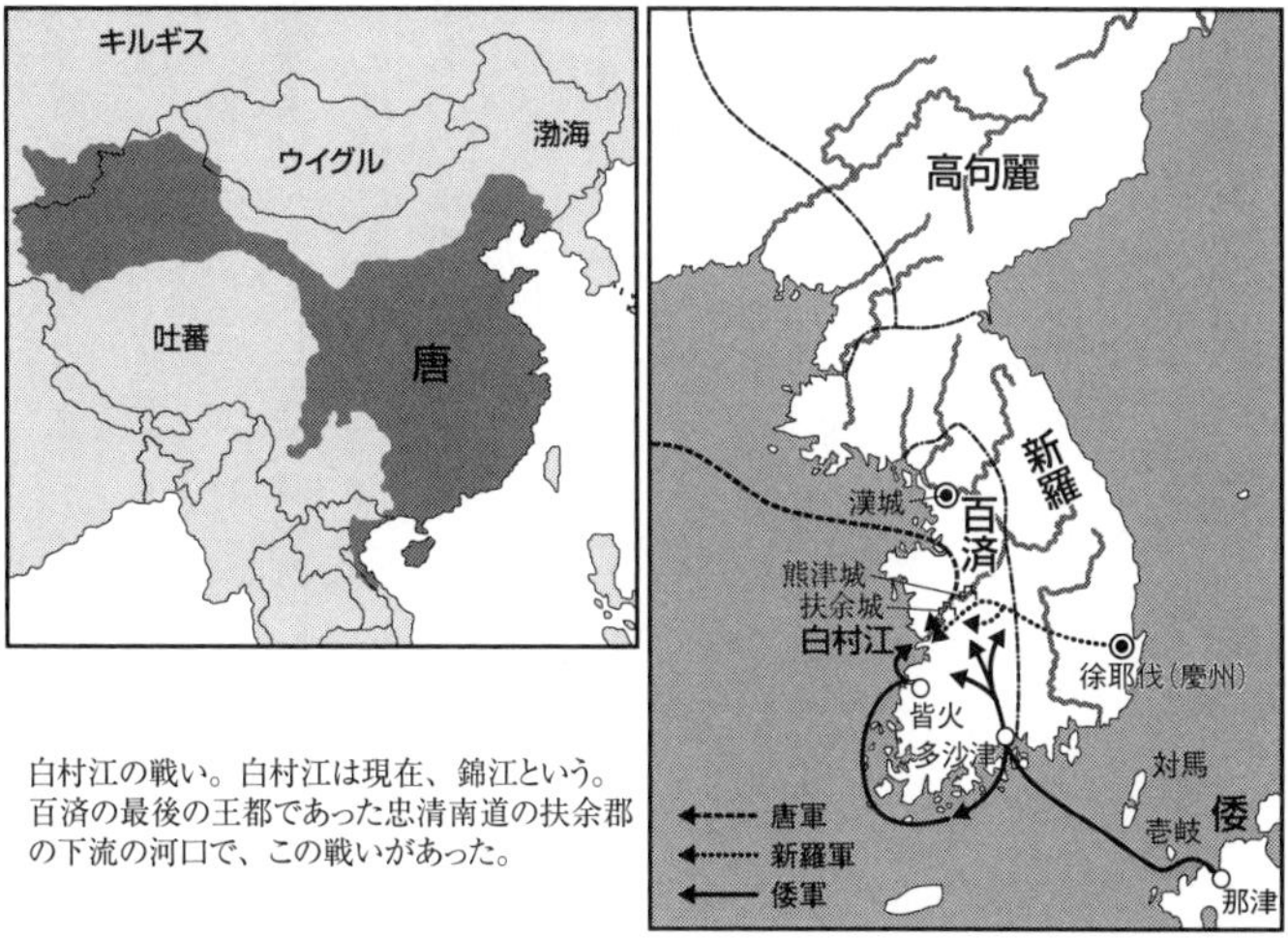

白村江の戦い。白村江は現在、錦江という。百済の最後の王都であった忠清南道の扶余郡の下流の河口で、この戦いがあった。

日本には秦氏《はたし》、漢氏《あやうじ》などという姓があります。京都に太秦《うずまさ》という地名がありますが、これも秦の始皇帝の「秦」から来ています。この人たちは、自分たちは非常に古い時代の、つまり秦や漢の時代の大陸から来た、その継承者だと主張していました。そのほかに新羅や百済の人も、やがて唐に攻め滅ぼされる高句麗の人も、日本にはおおぜい亡命していました。

そこで、日本列島に住む倭人たちと、これらの、いままで言うところの華僑たちが団結し、これまでの倭国大王の家柄の中の一番勢力の強かった倭王に「天皇」という称号を奉り、新たな国家の元首に仕立て上げた。「天皇」と「皇帝」は同格の称号ですから、「日本天皇」は「シナ皇帝」と対等だと主張して、シナ文明からの独立を宣言したのです。つまり、天智天皇が「天皇」という称号を持つ最初の天皇で、「日本」という国号もこのときにできたというのが岡田英弘説です。

天智天皇が即位したのは、白村江の敗戦から五年後の六六八年です。『日本書紀』でも天智天皇の即位は六六八年になっています。けれども、「日本国」という国名を公式に唐に伝えるのは七〇一年で、三三年後のことです。なぜ三〇年以上も経ってから伝えたのか。

天智天皇の即位と同じ六六八年に高句麗は唐に滅ぼされています。このときに天皇と日本国の誕生を言えば、唐は日本を滅ぼしにくると恐れたからでしょう。

天智天皇の治世はわずか四年ほどですが、『日本書紀』ではこの人はたいへん重要視されていて、即位する前に大化の改新を実行したとされています。

しかし、日本史家の多くは、最近では天武天皇が最初の天皇だと言うようになっています。なぜなら、『日本書紀』の編纂を命じ、『古事記』をつくらせたのは天武天皇だったからだ、と理由づけているからです。前述したように、国民国家史はどこでも自国の国境の中だけの歴史を書こうとする傾向が強いのですが、日本史研究者たちはとくに、日本だけで完結した歴史を書くことを目的としているので、シナ大陸の王朝との戦争に負けることで日本が誕生したとは言いたくないからでしょう。

しかし、建国の始まりに戦争があったとするならば、土地の地理関係という地政学は同じですから、また同様の事態が起こらないとも限りません。だからこそ、当時の状況をよく知っておく必要があるのです。

天皇はシナの皇帝とまったく同格の称号

『日本書紀』は、紀元前六六〇年に神武天皇が即位してから、日本の天皇は万世一系で、同じ男系の血筋が続いてきたと書いています。この編纂を命じたのは天武天皇で、六八一年のことです。しかし、『日本書紀』が完成したのは天武天皇が亡くなったあとの七二〇年で、三九年もたっていました。

天武天皇の前に天智天皇がいます。天武天皇と天智天皇は兄弟で、天智天皇が兄で、天武天皇は弟です。本当は天智天皇の息子の大友皇子が即位するはずだったのを、天武天皇が「壬申の乱」と呼ばれるクーデターを起こして、天皇位を乗っ取ったのです。

天武天皇の妃でのちの持統天皇は、天智天皇の娘です。つまり、持統天皇は叔父と結婚して、夫の甥にあたる自分の父親の息子、つまり自分にとっては母の違う兄弟を殺したことになります。そして、天武天皇亡きあと、天武天皇との間に生まれた草壁皇子が早世してしまったために、その息子の文武天皇までの中継ぎとして自らが持統天皇として即位して、日本の天皇家が男系で続くわけです。

この動乱の時代に、なぜ『日本書紀』が書かれなければならなかったのか。それは天皇という称号をつくったことが深く関係していると思います。「天皇」の字面を見て明らかですが、同時代の唐王朝の高宗が道教の影響を受けて「天皇」と称したともいわれていて、これはシナの皇帝とまったく対等の称号だったのです。

天智天皇、天武天皇の時代からあと、日本はしばらく鎖国に入ります。唐の軍隊が攻めて来ないことを確かめてから、ようやく七〇一年になって長安に行った使者が「日本」という国号を伝えた。そのことは唐の記録である『旧唐書《くとうじょ》』に残っています。これ以後、日本人は遣唐使を送り始めるのです。

『日本書紀』は日本国内だけで歴史が完結している

日本初の歴史書である『日本書紀』が書かれた意義とは何だったのか、もう少し深く検証してみる必要があります。

『日本書紀』はすべて漢文で書かれています。その主題となっているのは、太陽神である天照大神の子孫が九州に下りてきて、その子孫が畿内に入って紀元前六六〇年に神武天皇として即位し、これを初代として日本の天皇は代々男系で父子相続が行なわれて、それが天智天皇、天武天皇に至ったという物語です。

しかし、歴史的に検証すると、紀元前二二一年に秦の始皇帝がシナを統一したとき、日本列島に天皇がいて日本と呼んでいたはずがありません。漢や後漢に使者を送ったのは倭国であって、三世紀の邪馬台国の女王卑弥呼のときもまだ日本という国号はありません。

『古事記』は『日本書紀』よりももっと神代の巻が詳しく表現豊かに書かれており、イザナギ、イザナミが天の沼矛《ぬぼこ》を海原に下ろしてかき回し、ぽたんぽたんと落ちた潮が積もって列島をつくるという国産み神話から始まりますが、『日本書紀』では「昔、天地もいまだ分かれず、陰陽の対立もいまだ生じなかったとき」から始まり、さまざまな神様が誕生したことを物語ります。もっとも重要であるのは、神武天皇の祖先である天照大神の話で、日本列島には天の神様がそのまま下りてきたとしているわけです。

つまり、『日本書紀』が主張しているのは、シナ大陸と無関係に日本が成立したということなのです。まったく大陸の世界とは関係なく、日本の天皇は天から下りてきて、ずっと同じ血筋で続いてきたとする。そのあと、はるかあとの時代になって、三韓征伐などがあって、やっと日本の外にも大陸があることに気がつくことになっている。

しかし、これはかなり無理のある話です。というのも、百済王との同盟関係があったので、それまでに漢字や仏教が入ってきていたはずです。渡来人はどこから来たのかという問題もある。ところが、『日本書紀』はそのことにはまったく触れていない。日本の中だけで歴史が完結していて、ずいぶんあとの第一五代の神功皇后になってから、海のかなたに国があることを知り、新羅征伐に出たという筋書きで書かれています。

このことは何を意味しているのか。つまり、シナ文明とは無関係に日本国が誕生した。日本という国の中だけが天下であって、外は知らない。だから、影響を受けていないと宣言しているわけです。

私はこう思います。これは大陸で起きた戦乱があまりにひどくて、日本に逃げてきた人たちが二度と大陸との関係を持ちたくなかったので、自分たちの故郷とも縁を切った。日本列島の中だけでこれからはずっと平和に暮らしていきたい、と主張した歴史書が『日本書紀』だったのではないかということです。

七世紀に日本国をつくったあと、何度も遣唐使を送っていたにもかかわらず、あるいは最澄や空海といった高僧たちが留学したにもかかわらず、彼らは日本天皇が決裁した国家の正式な公文書は持っていかなかったのです。つまり、日本天皇の名前のある正式な外交文書は、明治時代の日清修好条規までシナ王朝の皇帝に一度も届けられていないということです。

それはなぜかというと、日本天皇独自の暦で何年と書かれたような文書は、シナの皇帝に対する独立宣言や裏切りと受け取られて、征伐されても仕方がなかったからです。

シナの伝統では、暦は世界の中で唯一、天命の下りた皇帝にだけ決める権利がある。それが、シナの秩序感覚です。つまり、皇帝が天下でただ一人、天命を受けて統治する。ところが、日本は独自にもう一つ別の天下を日本列島でつくった。そのために、日本天皇の暦は日本列島の中だけで通用させて、一度も国外に持ち出さなかったのです。

建国以来の日本の歴史は鎖国が国是

江戸幕府が鎖国したことはよく知られていますが、基本的に日本は、菅原道真が遣唐使を廃止して以降は、ほとんど大陸とは正式な関係を断っています。唯一例外だったのが、室町幕府の三代将軍だった足利義満が、日本国王と称して明の皇帝と勘合貿易をしたことです。

実は、足利義満は征夷大将軍でしたから、日本国王というのはおかしい。征夷大将軍にすぎない足利義満が、日本国王としてシナ皇帝に公文書を持っていくことはできないはずです。シナがその事情を知らなかったはずはない。しかし、日本はアジアでも特殊な国だから、そのまま政経分離であまりことを荒立てないようにしようという感覚があったようです。

国王という称号は、シナの秩序からいえば皇帝の一つ下です。本来、シナ皇帝から日本国王と呼んでもらった足利義満を征夷大将軍に任命したのは日本天皇だから、結局、日本天皇はシナ皇帝と対等だということになります。

鎌倉時代の「元寇」(歴史用語では「蒙古襲来」です。「元寇」の初見は江戸時代に編纂が始まった『大日本史』ですが、明治時代に、あちらから「倭寇」を非難された日本が、そちらが先ではないかと「元寇」を好んで使うようになったのです）では、襲来したのがモンゴル人だったので、これまでの関係は無視して攻められましたが、基本的にはつかず離れず、あまり政治に踏み込まない経済的な関係だけでいこうというのが、日本国誕生以後の大陸との関係でした。

実はこの関係が壊れたのは明治維新のあとなのです。話は飛びますが、日清修好条規が結ばれたのは明治時代の一八七一年です。世界的な基準で対等な外交関係を結ばなくてはいけなくなった清朝と日本が、初めて本当の正式な君主同士の条約を結んだのがこの日清修好条規です。日本国建国から非常に長い時を経て、なんと一二〇〇年もたっていました。

なぜ日本人は日本の海外統治を否定するのか

日本列島の中で歴史が完結し、鎖国を国是とする『日本書紀』の歴史観が、現在の日本人の世界観を決めたと私は思います。なぜか。

明治維新のあとで真面目に欧米の基準を取り入れ、いまで言うグローバリゼーションに励んだ日本人は、とりあえず国民国家になって、欧米の植民地にならないように、欧米を跳ね返すために、国民が一丸となってあらゆる努力をはらいました。日清戦争も日露戦争も、なにも日本が好戦的で戦争をしたかったからではなく、降りかかった火の粉を払うためのものでした。日本人は西欧列強に抗して一所懸命努力した。しかし、あまりにもヨーロッパの基準を取り入れた優等生だったために、シナ大陸の深みにはまっていきます。

日本は戦争に勝つたびに、領土が拡大していきました。それが当時の世界基準だったからです。欧米と同様に、日本の責任で日本になった土地の統治機構を整備して、現地の人々の安全を守り、経済的にも豊かにしたいということで大陸の統治を行なったのです。

ところが、先の大戦でアメリカに負けて、日本の外地統治は五〇年で終わりました。戦後しばらくは日本の援助が欲しくて何も言わなかったのに、最近になって、中国と韓国は歴史をすべて書き換えようとしています。いまの中国・韓国人と北朝鮮人は、日本の侵略を跳ね返して国を建てた自分たちが正統だという、古くからアジアにある司馬遷の歴史観で日本を悪者にしようとしているのです。日本が悪いことが自らの正統性を証明する手段になるからです。

しかし、台湾も満洲も、日本が行かなければ近代化できなかったし、朝鮮半島にも多額の投資をしてインフラが整備されたという結果がいまでもたくさん残っています。そもそも当時は、戦争は国権の発動として正当な行為でしたし、戦争に勝てば領土を手に入れるというのが世界基準でした。

日清戦争のあと、日本は台湾を併合します。そのあと、きちんと日韓併合条約を結んで日本と朝鮮半島は合邦した。イングランドがスコットランドと一緒になって国家を統合したのと同じことです。だから日本の場合は、植民地支配などではなく、台湾人も朝鮮人も日本人になったのです。満洲国は傀儡国家ですが、日本人がたくさん行ってアメリカの西部開拓のように近代化を推進した。南洋統治も国際連盟から頼まれて、ドイツの委任統治領だったパラオなど、いまも親日的な南方の島々を一時は日本として統治した。外地とは言いましたが、外地も日本国だったのです。法律も日本国の法律を適用した。

こうした歴史を日本史が教えないことがおかしい。日本人はそうした地域も一所懸命統治したということを、日本史として教えるべきなのです。ところが、明治時代から敗戦になるまで、日本列島の外に出ていったのは異常な日本人だった。明治以降に拡張主義になって、ヨーロッパやアメリカに対抗して身の丈に合わないことをした。その結果、敗戦で国家を滅ぼすようなことになったのだから、もう二度と日本列島の外に行くべきではない、といまの日本人のほとんどが考えている。

どうして、日本人が海外に出ていって、立ち遅れていたアジア諸国の近代化を進めたことを否定する方向にだけ日本人の考えが向くのでしょうか。外地に六六〇万人も出て行ったのは変な日本人、主流でない日本人と思ってしまう歴史観、世界観は、実は『日本書紀』のせいではないのか、と私は気づいたのです。

日本人は、日本列島だけが日本だという『日本書紀』や『古事記』の枠組みにあまりにもとらわれているのではないでしょうか。日本最初の歴史書の考え方が、一三〇〇年にもわたって日本人に深く染みついているからなのではないかと疑っています。

したがって、『日本書紀』が成立した理由を知って、それを克服すべきではないかというのが、私がここで提案したいことです。

『古事記』もきちんと見直す必要がある

さて、この章の最後に、『日本書紀』よりも古いとされている『古事記』を取り上げます。

『古事記』は、江戸時代に本居宣長《もとおりのりなが》が『古事記伝』四四巻を書いて古風な日本語に翻訳して以来、『古事記』こそが日本の古伝承をありのままに記録したもので、古代人のおおらかな気分をうかがわせてくれる貴重な書物であると思われてきました。『古事記』のほうが日本人の気持ちをあらわす和歌が多く、日本式で日本風なので、こちらが大陸の影響を受ける前の日本の古い文化を残している。『日本書紀』はシナ式だから外来の文化で、『古事記』のほうが日本文化だと日本人はみな思っています。

しかし、それは本居宣長の意見です。実際には『古事記』も全文が漢文で書かれています。江戸時代になって、本居宣長が大和言葉として解釈しなおした『古事記伝』に影響されているのです。

残念ながら『古事記』は『日本書紀』よりもあとの時代、おそらく平安初期の九世紀に成立したと考えざるをえません。なぜそう考えるのか、その理由を簡単に説明しましょう。

まず第一に、『古事記』の序文には、天武天皇が舎人《とねり》（近習《きんじゅう》）の稗田阿礼《ひえだのあれ》に勅語《ちょくご》を下《くだ》し「帝《てい》皇《こう》の日継《ひつぎ》、および先代の旧辞《きゅうじ》」を誦《よ》み習わせたとあります。ところが『日本書紀』「天武天皇紀」はそのことに一言も触れていません。

第二に、『古事記』の序文を書き、稗田阿礼の覚えた内容を聞き書きしたという太安万侶《おおのやすまろ》は実在の人物で、一九七九年に発見された墓誌には、左京の四条四坊に住み、従四位下勲五等で、七二三年に歿したことなどが記されていましたが、『古事記』を天皇に献上した話は、墓誌には一言もありませんでした。

第三は、日本における正史に相当する、朝廷の正式の記録である『続日本紀《しょくにほんぎ》』を見ると、元明天皇が和銅四年に太安万侶に『古事記』の著作を命じたということも、太安万侶が翌和銅五年に『古事記』三巻を天皇に献上したということも、まったく記事が見当たりません。

第四に、『古事記』は上・中・下の全三巻しかありませんが、『日本書紀』は全三〇巻です。『古事記』は上巻が神代の時代で『日本書紀』の最初の二巻に相当しますが、『日本書紀』の神代二巻の特徴は、本文の物語が一段落するごとに「一書に曰く」として多数の異伝を注記していることです。もし『日本書紀』よりも前に『古事記』という勅撰の書が出来ていたなら、当然『古事記』も「一書」の一つとして『日本書紀』に引用されていなければならないはずです。ところが『日本書紀』の「一書」のどれ一つとして、『古事記』と一致する内容のものはないのです。

それはなぜかというと、『古事記』のほうが、『日本書紀』では並列してあるだけの本文と多数の「一書」の異なった伝承を材料に使って、一本の記述にまとめ上げているからです。『古事記』の神話は、『日本書紀』が収録した多くの伝承のなかから、最も内容の豊富なものを取り入れて整理したのだから、読んで面白くわかりやすいのは、そのためです。

第五の理由は、『古事記』の序文の日付の翌年七一三年に「風土記」編纂の命が諸国に下ったことです。けれども実際に「風土記」を完成させた地方はたいへん少なく、今では『出雲《いずも》国風土記』『常陸《ひたち》国風土記』『播磨《はりま》国風土記』『肥前《ひぜん》国風土記』『豊後《ぶんご》国風土記』の五風土記しか残っていません。あとは題名だけか、一部分が別の史料に引用されて知られているだけで、現存する五風土記も、不完全で、全体が残るのは『出雲国風土記』だけです。

『出雲国風土記』の成立は七三三年で、七二〇年の『日本書紀』の完成には間に合わなかった。だから『日本書紀』には、芦原中国《あしはらのなかつくに》をつくった大国主神《おおくにぬしのかみ》を主人公とする出雲神話はのっていないのです。ところが『古事記』には、『出雲国風土記』と同じ大国主命の話が豊富に登場するし、原本は伝わっていない『因幡《いなば》国風土記』にあったらしい因幡の白ウサギの話もあります。

第六に、奈良朝のどんな書物にも、『古事記』の名前もなく、一つの引用もありません。

第七に、平安時代の八一五年に完成した『新撰姓氏録《しんせんしょうじろく》』は、一一八二もの氏族の系統を述べた日本の古代氏族の系譜書です。この書物は、多くの氏族の由来について『日本書紀』から丹念に記事を拾い集めているのに、『古事記』からは一つの引用もない。これはつまり、平安朝の初めになっても『古事記』が世間に知られていなかったことを意味しています。

第八に、『日本書紀』では宮も陵も所在がはっきりしない応神天皇が、『古事記』はのちの『延喜式《えんぎしき》』の「諸陵式《しょりょうしき》」で確定した場所を述べているので、『古事記』のほうが書かれた年代が新しいと考えられます。

第九に、たとえ『日本書紀』の十分の一の分量しかないといっても、仮名という発音記号をまだ持たない時代に、漢字だけがあのように並んだ文章を、稗田阿礼がどんなに頭のよい舎人でも、どうやって暗記して、それを太安万侶に今度は読んでみせて耳からだけで漢字を伝えることができたのか。

漢字は音だけではどの漢字かがわからないものです。前述しましたが、漢字の読み音は子音・母音・子音の一音であるため、同音異義語が多すぎて、耳で聞いただけでは字体の判別はつきません。しかもまだひらがなのない時代なので、漢字をそのまま丸暗記して、それを言葉にしてまた漢字で書き取ったというだけで、フィクションだと思わざるをえません。

第一〇は推論ですが、一〇〇〇年以上あとの平安朝に『日本書紀』の講義をした学者、多朝臣《おおのあそみ》人長《ひとなが》が、自分の氏族の由来が高貴であると主張するために『古事記』を書き、祖先の作としたという結論が妥当だと思われます。

『古事記』の神話としての価値は大切だが……

『日本書紀』は三〇巻あって正史で、シナ大陸伝来の難しい漢文で書かれていますが、『古事記』は上、中、下の三巻で、神話が多数収録されている。だから、日本人は『古事記』が好きなのです。

また、『古事記』には日本初と言われるものを含めて、和歌が多数収められています。それだけでも、日本人の和歌詠みにとっては、『古事記』が大事なのです。

ただ、『万葉集』に掲載された和歌を古いものから順番に見ればよくわかりますが、最初は、漢文としてのほうが意味がわかる歌が、やがて意味がわかる漢字と、漢字を発音して耳で聞いてわかる日本語とが混在した歌に変化していきます。そして、最終的に、万葉仮名と言いますが、一字一字、漢字の意味は無視して読み音をそのまま発音すればいまの日本語に近い、聞いただけで「これは日本語だ」とわかる歌になっていきました。

「阿毎多利思比孤阿輩鶏彌《あまたらしひこおほきみ》」という『隋書』にある倭国大王の名前も、「あま」は「天」で、「たらしひこ」の「ひこ」は男の子のことで、「おほきみ」が「大王」だというのは、いまでも私たちはわかる。のちの日本語なら、「天足彦大王《あまたらしひこおおきみ》」とでも書けるでしょうか。これは日本語が七世紀からいままでずっと継続していることの証拠です。これは誇っていいことです。

耳で聞いてたくさんの人が理解できる当時の日本語を、漢字がわかる人たちが万葉仮名で書いていった。万葉仮名は漢字なので画数が多すぎて面倒になったので、やがてカタカナとひらがなが誕生する。

『古事記』にたくさん収録されている歌は、『万葉集』で言うなら後半の、日本語の音で和歌を詠み、それを漢字で書くようになったときのものなので、いまの日本人にとってはこちらのほうがはるかに面白いのはあたりまえです。でもそのことは同時に、『日本書紀』よりも『古事記』のほうが新しいということの証拠でもあります。

『日本書紀』は最初に書かれたものなので、苦労が多かったのです。あちらこちらで伝承されていた物語をたくさん収集して、「一書に曰く」として、一つの物語のあとにいろいろな口伝を全部並べて書いています。たくさんの人たちが口頭で言っているのを書き留めたので、一つを選べなかったからです。神話でも同じような話を一〇も併記してあるものもある。『古事記』は、『日本書紀』の物語の中の、一番長くて面白いものをつなぎ合わせてつくられています。『日本書紀』よりもあとでつくられたので、面白いものだけを選ぶことができたからだと思います。

もちろん私は『古事記』を否定するつもりはありません。物語として非常に面白い。日本文明、日本語が成立した当時に、それまでのいい物語や和歌をすべて集めてつくられたものだからです。私たちがこれを神話として学ぶのは非常に大切なことです。子供たちにも物語として教えるべきです。しかし、日本最初の歴史書『日本書紀』ができた背景とは何か、『日本書紀』は何を主張している歴史書なのかという研究も並行してやらなければ、本当の日本の成り立ちはわかりません。

『古事記』に七一二年に書かれたとされる序文がついていることが問題なのです。『日本書紀』

のように本格的なシナの漢文で書かれている歴史書を日本最初とするのはいやだった。だから序文を付け加えて『日本書紀』よりも前に書かれたことにしたのでしょう。

しかし、実際には江戸時代に本居宣長が、当時流行っていた儒教とシナ学に対抗して、日本古来の学問として持ち出すまでは、『古事記』はまったく重視されていない本でした。それを明治時代になってからさらに、『古事記』のほうが日本の気持ちをよくあらわしているということで、『古事記』を重んじるようになったのです。国民国家の統合とアジアのなかで生き残るための神話として大きく扱われたわけです。

紀元前の神武天皇からでなくても、七世紀末の天智天皇、天武天皇の直系の祖先からは、はっきりと男系で継承されていることが史料に遺されている。一三〇〇年前、一四〇〇年前から万世一系が続いているというのは世界に例のないことです。日本には立派な誇るべき歴史があるということです。

本当のことだけでも十分に誇れるのだから、ごまかす必要はない。それを嘘で汚すのは学者として耐えられません。日本だけは特別な国だとか、神国だとか、情緒的、感情的なことで歴史を見るようでは、かえって自らを中国・韓国と同じレベルに貶めることになってしまいます。

将来に向かって、日本人は史実を知ってそれを大事にして生きていきたい。これが私の日本史に託す願いです。

第9章

国民国家が世界史を変えた

近代国家は国民国家が前提

この二一世紀の世界では、国家と言えば国民国家（ネイション・ステイト）であることが前提になっています。国家はすべて国民国家という建前になっていて、いわば国民国家があたりまえになっている。しかし本書で前述したように、実はこの国民国家というものは、わずか二〇〇年ちょっと前に成立した新しい国家のかたちにすぎません。国家とは何かというのはたいへん面倒な話ですが、現在の私たちの歴史に直結する非常に重要な問題です。

では国民国家とは何かというと、国境内にいる国民はみな同じ国民として平等の権利があって、共通の歴史と国語を持っている、というように定義することができます。

しかし、この定義にぴったりあてはまる国家は世界中でそれほど多くはありません。歴史を共有して、国民みんなが対等である国家を探すだけでもたいへんで、実は国民国家はあたりまえのことではないのです。

たとえば、アメリカ合衆国やロシア連邦、中華人民共和国を考えてみると、国境は確定されていますが、国内にいる人たちが何百年も共通の歴史を持つ国はほとんどありません。完全に同じ言語を話す国民だけでできている国家も、世界のなかでは日本ぐらいでしょう。

どの国でも多様な言語が使われています。アメリカはもちろん英語ですが、いまではヒスパニックといってスペイン語を話す人たちが増えて、英語を理解できないアメリカ国民が出現している。また、アジア系やアフリカ系など出身地が異なっている移民も多いので、一〇〇年、二〇〇年、五〇〇年前までさかのぼって共通の歴史の記憶は存在しません。アメリカ独立宣言は一七七六年ですが、アメリカ憲法のもとに合衆国を結成したのが一七八九年ですから、二百数十年しかたっていないのです。

二〇世紀だけで考えても、第二次世界大戦前に独立国は世界で六十数カ国しかありませんでした。それが今では国連加盟国は一九七カ国になっています。一九九一年にソ連邦が崩壊して、それまでソ連圏に入っていた数多くの国が独立したからです。そのように見ていくと、国家も永遠ではないということがわかります。

日本は本当に幸せなことに四方を海に囲まれていたので、一三五〇年前に日本という国が成立したときから、日本の領土ははっきりしていました。また、最初から日本語があったとは思いませんが、比較的早い時期に話し言葉が共通の言語になりました。各地に残る方言も、さかのぼれば同じ言葉から変化したという例が多く、いまの日本で国内を移動する限り、言葉の通じないところはありません。われわれの母国日本がいかに理想的な国民国家であるかということです。

日本人は、この日本の幸運な環境を世界に当てはめて、つい、どの国もどの地域も昔から日本のようだと想像してしまうようです。日本人が歴史戦争とまで呼ばれるようになった歴史認識問題に弱く、世界情勢に理解が追いつかないのも、このことが大きな理由になっていると思います。

「国民国家」を生み出したアメリカ独立とフランス革命

国民国家という考え方は、たった二百数十年前に新大陸アメリカから始まります。

きっかけは、一八世紀末に北アメリカの大西洋岸のイングランド王領だった一三の植民地の市民が反乱を起こしたアメリカ独立戦争でした。イングランド本国から議会に議席も持たないのに税金だけを要求されて、現地の移民たちが反乱軍を組織したのです。

アメリカ独立戦争に勝ってイングランド王の財産を乗っ取り、憲法を制定して一七八九年にアメリカ合衆国（United States of America）を結成します。

四五頁の図4にありますが、独立を勝ち取った一三州は、それぞれステイト（state）またはコモンウェルス（commonwealth）のどちらかを名乗りました。「ステイト」はラテン語から由来した言葉で、「君主の位、身分、財産」という意味です。「コモンウェルス」は「共有財産」です。それまでは王様の財産（ステイト）だったところが、これからは住んでいる国民の財産であるという宣言が、アメリカ合衆国の独立です。それが国民国家の始まりです。

国民国家自体は英語で「ネイション・ステイト（nation state）」と言います。「ネイション」が一つの国民で、その国民の持っている国が「ステイト」です。その「ネイション・ステイト」を、明治時代の日本人が「国民国家」と漢字で翻訳しました。

アメリカ合衆国が成立した一七八九年に、フランスでは、ベルサイユ宮殿にいた王様をパリの市民が襲撃してパリに連れてきた。それがフランス革命の発端です。

市民が住んでいたパリからかなり離れた郊外にあるベルサイユ宮殿に住んでいたルイ一六世の一家をパリに連行して幽閉し、一七九三年にはルイ一六世と王妃マリー・アントワネットをギロチンで斬首します。

殺されたルイ一六世はフランス各地に財産、領地、領民を所有していました。その所有権をめぐって混乱が起こります。パリの市民と革命派は、王を倒した自分たちがそれを管理し所有すると主張した。ところが、王の領民だった地方の人々は、「パリ市民の持ち物になんかならない」と反発します。革命派の内部にも階層があって、お互いに殺し合いを始めます。フランス革命では多くの血が流されることになったのです。

ナポレオンが組織した国民軍は強かった

さらに、フランス王はヨーロッパ中の王家と婚姻関係があったので、ヨーロッパの王族たちは、「パリ市民は王様を殺した加害者で、王の財産は親戚であるわれわれに継承する権利がある」と言ってフランス革命に干渉して、軍隊を送ろうとします。

そのような状況下で、ナポレオンが登場します。抜群の軍事的才能に恵まれたナポレオンは、国民軍としてのフランス軍を組織しました。ナポレオンのフランス軍の兵士たちは、「自分たちの財産は自分で守る。自分の国を自分で守る。自分たちの妻や子供、娘を守る」という国民軍だったから、それまで王様たちに金で雇われていた傭兵とは違っていた。軍隊に参加した多数のフランス市民は、自分たちの財産、自分たちの国家を守るという自覚をもって集まってきた兵隊でしたから、ナポレオンの国民軍は本当に強かった。自分の財産や家族は真剣に守ろうとするからです。

さらに、ナポレオンはローマ法とフランス全土の慣習法をもとに法制度を整えて、ナポレオン法典もつくりました。ここから本当の国民国家が始まります。

暴力で乗っ取った王の財産の所有権を正当化するために、国民が考え出され、こうして国民国家と民主主義（democracy）のイデオロギーが誕生したのです。さらに国民の範囲を確定するために国境が引かれて国土が囲い込まれ、国民の国籍が制定され、国民は国語と国史を共有することが強制されました。

国家は国民のもの、国民主権である。フランスはフランス人が守る。だから、アメリカ独立戦争よりもフランス革命のほうが、その後の世界に果たした役割は大きいのです。

フランス革命の標語は「自由、平等、博愛」ですが、そのためには本当に血みどろの殺し合いという産みの苦しみがありました。その結果、イデオロギーとして国民主権が実現して、国民の権利は平等となりました。主権は王様のものではなく国民にあるというのが、ネイション・ステイトの始まりです。それ以前には国境や国民という観念も、国語や国史というものもありませんでした。

国境の内側の人間たちは、対等で平等で、自分たちの国だから自分たちに責任がある。だから、一七九五年のナポレオンのクーデター以後、一八一五年の神聖同盟の成立まで、フランス国民軍は最強の軍隊でした。

それで、ヨーロッパの君主たちはフランス軍の猛威に対抗するため、国民国家体制を採用せざるをえなくなる。これが立憲君主制（constitutional monarchy）の起源になったのです。この国民国家化こそが、近代化（modernization）の本質だといってもいいでしょう。

さまざまな諸権利が輻輳していたフランス革命以前のヨーロッパ

それでは国民国家が誕生する以前のヨーロッパの政治、社会はどうだったのか。図25を見ると、フランス王国として示された領域はすべてのちのフランスになるので、一見、フランスとしてまとまっていたように感じます。しかし、これは便宜上の色分けにすぎません。

ドイツ人とかフランス人という意識は、国民国家がつくられてから初めて明確になってきた概念です。いまでもフランスのバスク地方やブルターニュ地方などでは、言葉も違えば意識もだいぶ違う。同じフランス人でもきちんとした標準語を使う人もいれば、地方独自の方言を話していてお互いに通じないことすらある。ドイツも方言がかなり違います。

それはどういうことかというと、中世のヨーロッパは数多くの領主によって領土が分断されていたからです。もともとはゲルマン民族の部族が基礎になっていて、かつては部族長だった領主が家臣と君臣関係を結んで領土を支配していた。さらに領主は自分たちの勢力を伸ばすために、遠方の領主と婚姻関係を結ぶ。それが領土を広げる一番の道でした。

例えば、フランスの貴族がウィーンの貴族と結婚するとどうなるか。お嫁さんは親から婚資として村や農地のような不動産をもらいます。結婚した二人から生まれた子供は、父と母から、

図25　18世紀のヨーロッパ地図

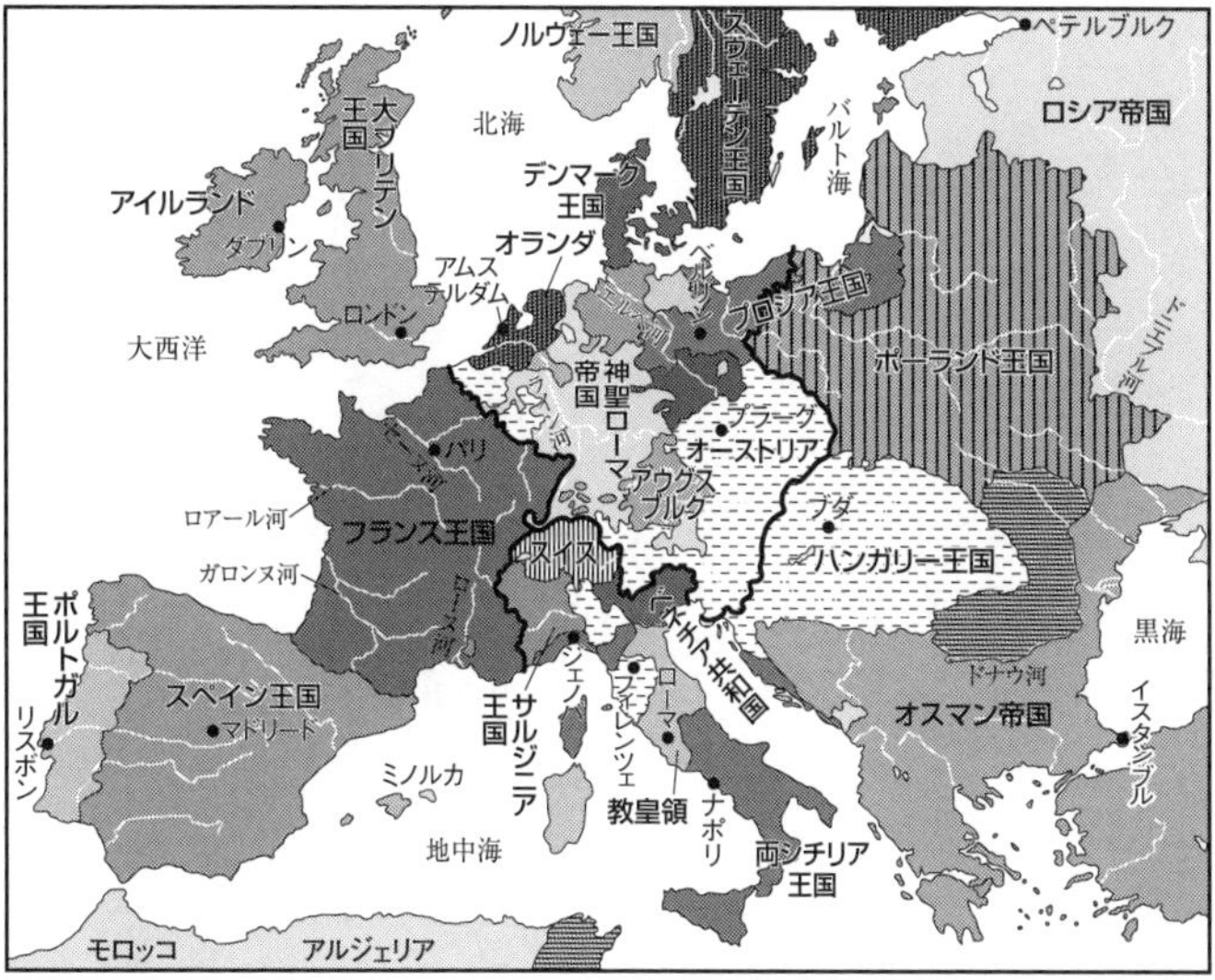

フランスやオーストリア各地にある村や農地といった財産を引き継ぐ。「幸いなるかなハプスブルグよ、汝は結婚せよ」と言われて多くの婚姻関係を結んだことで有名なハプスブルグ家は、このようにして、太陽が沈むことのない帝国といわれるほどの世界帝国を築くのです。

こうした結婚関係の積み重ねで、ヨーロッパの土地は村や小さな地域ごとに君主が違うといったことが普通になりました。君主のほうでも、領地があちらにもこちらにもあるということになります。君主は何種類もの土地を持っていて、ヨーロッパ中で、支配権が入り組んだ関係になっていた。したがって、国境という概念で国境線を引くことができなかったのです。

一方で自治都市もありました。「都市は人を自由にする」という言葉があるように、都市は自治権をもち、独立した組織である商人組合のギルドが税金を取るなどして、都市の城壁のなかは違うルールになっていた。領主はそれに文句は言えない代わりに、たとえば契約した領主にある程度の税金を払うというようなしくみになっていました。

このように、各地がバラバラな支配を受けていた領地をめぐって、しばしば戦争が起きました。それぞれの地域の権利関係が複雑で、領土の領有を主張する権利者が多かったからです。

しかし、ナポレオン以前のヨーロッパでは、領主や王様が傭兵を自らの財力で雇って、彼らに戦争をさせました。軍隊というのは、武器も馬も食べ物も必要で、しかも平時に兵士たちは働かないのですから、本当にお金がかかります。

国王が自分の金で雇っているのだから、兵士たちに戦争で死なれたら損をするし、雇われている兵士も死にたくはない。だからナポレオン以前の傭兵同士の戦争は、形勢が決まったらやめてしまい、負けたほうは領地を差し出して終わりという、人もあまり死なないというような戦争でした。それが、アメリカの独立から、フランス革命とナポレオンが出てきて近代化が始まったことにより、歴史が一変することになったのです。

それまでアジアに存在しなかった「国民国家」という言葉は日本人がつくった

国民国家は何のためにできたかというと、そもそもは自分たちの財産である国を囲って守るためです。国境の外側が外国ということになり、外国との戦争で国民国家の軍隊が圧倒したから、ヨーロッパでは次々に国民国家を形成するようになった。実はこのために、戦争が増えるだけでなく、戦争の規模も拡大したのです。

国民国家の国境の内側は、みんな同じ権利があるというのが建前です。そこで、国民全員が豊かになるために、国境の外側のアフリカやアジアに進出して、国民の財産を増やして、それを持ち帰って国民で分配した。平等なのは同じ国の国民の間だけです。他の地域や民族はどんなに搾取しても平気なのです。こうして国民国家化が進むとともに、帝国主義による植民地化があっという間に世界中に広がっていきました。

それを見ていた当時の日本は、国民国家になった欧米諸国の植民地にされないために、自分たちも急いで国民国家をつくる必要を痛感します。そのために明治維新を実現します。しかし、日本にとってはこの新しい国民国家のかたちは、それほど違和感のあるものではありませんでした。江戸時代には鎖国して、朝鮮半島やシナ大陸からは日本人は全部引き揚げているから、日本列島の中にしか日本人はいません。だから、日本は他のアジア諸国に比べてきわめてスムーズに国民国家化ができたのです。

明治の日本は、ヨーロッパの植民地にはならないという明確な目的をもって、欧米の文化を貪欲に吸収しました。明治時代に日本人は、フランス語やドイツ語、英語など当時最先端のヨーロッパ諸国の言葉を国内の日本人にわかるように翻訳していった。日本は、すでに江戸時代末期から多くの留学生をヨーロッパに送っていたから可能だったことです。

先述した「ステイト」も、本来は「財産」の意味だったものを「国家」という漢字に翻訳する。「国家」はシナでは後漢時代に皇帝個人を指した言葉でしたが、これをstateの訳語として転用し、シナでは都市の住民を意味した国民をnationの訳語として転用した。日本人がこの新しい意味の漢字をつくったのです。

「国」という漢字は、もともとシナ大陸ではすべて城壁に囲まれた町のことでした。日本でも江戸時代にはお国元などと言い、地方の藩のことを指しました。ところが、明治以後、日本で「国」というと、「ネイション・ステイト」の「ステイト」の訳語になって、それが逆輸入で現代中国語に入っていったのです。つまり、それまでアジア、シナ文明になかった概念だったからです。

「民族」とはいまだに明確に定義できない特殊なイデオロギー

さらに問題になるのは「民族」という言葉ですが、これはヨーロッパ語の原語がなくて、日本人が日露戦争のころにつくった言葉です。考えてみてください。「ナショナリズム」を日本では「民族主義」と言います。先ほどから何度も言っているように、「ネイション」は「国民」ですから、「ナショナリズム」は言葉どおり訳すと「国民主義」です。しかし日本人は「民族主義」と訳した。

では、なぜ日本人は「国民主義」としなかったのか。第一次のナショナリズム運動が、このころ東ヨーロッパで生まれます。言語を共通にする人たちは同じ国民として国家を持つ権利があるというのが、ナショナリズム運動でした。しかし、まだ国がないのに国民主義と言うのはおかしいと日本人は考えた。だから、国家を持ちたい人の運動を「民族主義」とし、国家を持ちたい人を「民族」というふうに使い分けたのです。言葉に関して、日本人は厳密なのです。

ところが、現代の中国では、「漢民族」と言うと怒ります。「漢族」と言えと言うのです。「ミンツウ（民族）」は、少数民族の意味だからです。言葉の意味は時代や地域によってずれるのです。

実は厳密に言うと、民族とは何かという定義はいまだにはっきりしていません。

例えば、ソ連のスターリンが一九一三年に、おもしろい定義をしています。「民族とは、言語、地域、経済生活、文化の共通性のうちに表れる心理状態。これらの共通性を基礎として生じたところの歴史的に構成された人々の堅固な共同体」だと言っています。人種概念ではないのです。

これでは、自分たちは同じ民族だと思う人たちが同じ民族になるという、同語反復の定義になります。結局、見た目は同じでも宗教が違う、同じ言葉を話しているのに祖先が違う、などということを根拠に民族は分かれることになります。

国家が増えれば増えるほど、そういう対立は増えるばかりです。それでも国家は国際政治の一つの単位として、これ以上に便利で効率のいいものはありません。国連に加盟すれば、国家の代表は日本に来て天皇陛下にお目にかかれる。国連に一議席があるおかげで、大国に援助してもらうこともできる。だから、どんなに小さな民族でも国家をつくりたい。国家は一つの利権でもあるのです。

国民国家が始まって二〇〇〇年ちょっと、何千年にも及ぶ世界史の時間から見れば、それはごく最近のことです。民族も民族主義も一つのイデオロギーにすぎません。これにとらわれすぎて対立ばかりしていると解決の道がなくなってしまいます。

第10章

マルクスに騙され続けている世界史

経済の発展段階から歴史をみるマルクスの唯物史観

実は現代の日本の歴史教育は、マルクス主義の史的唯物論と発展段階説の悪影響をいまだに強く受けています。

マルクス主義に基づいて成立した共産主義国家であるソ連が崩壊してすでに三〇年が経ちました。マルクス主義そのものを知らない人も増えてきています。にもかかわらず、いまだに多くの人々がマルクス主義に騙され続けているのです。

カール・マルクスは、社会主義、共産主義を提唱し、ドイツからロンドンに亡命して著作活動をしたユダヤ系ドイツ人でした。マルクス主義の特徴は、「下部構造が上部構造を決定する」として、人間社会をすべて経済で説明しようとするところにあります。ですから、各時代の歴史を経済の発展段階と考えたのです。

まず最初に、人類の歴史の始めには搾取や不平等などまったくない理想的な原始共産制社会があったとします。人間の社会はもともと共産制だった。人間はみな平等に働き、分配も公平に行なわれていた。その次に社会の生産手段として奴隷が使われた古代の奴隷制国家の時代になる。さらに領主と家来が契約を結ぶ封建制が始まり中世になる。この中世封建制が成立したヨーロッパ地域から、資本主義が生まれた。資本主義は、労働者を搾取することで資本家が利潤を得る仕組みだとする。搾取されている労働者は貧乏だけれども、未来はまた働いた人たちが公平に分配を受ける共産制になる。現代の資本主義が生まれ、未来は共産主義になるというように歴史は発展するという説です。

各時代の経済の仕組みが政治制度を決定する。だから歴史は一定の方向に段階的に発展するというのです。史的唯物論や唯物史観という言い方もされます。

マルクス主義の唯物史観では、資本主義が現代で、共産主義は未来だから、中華人民共和国は未来国家であり、まだ資本主義段階にある日本は遅れているという解釈が、日本共産党や社会党が本気で主張してきたことです。日本共産党に至っては、日本はまだ資本主義段階にも到達していないので、ブルジョア資本主義革命を実現して、そのあと共産革命を実行するという二段階革命説を党綱領から削除していません。共産主義が歴史発展の最終段階だから、それを実現させるのが革新だといまでも言っているのです。

私たちの歴史教科書はいまだにこのマルクス主義の唯物史観の影響下にあります。みんなが意識しないままに歴史とはそういうものだと思い込んでいて、それがずっと続いていることが問題なのです。

過去から世界の歴史は進化しているとする思想にわれわれは洗脳されている

しかし、このマルクスの発展段階説で歴史を時代区分しようとすると非常におかしなことになります。世界各国の歴史に適用しようとすると、まったく当てはまらないのです。そもそも原始共産制、古代奴隷制、中世封建制、現代資本主義、未来共産主義という発展段階は、各時代の経済の仕組みによって決定される政治制度だというのですが、その具体例を探せと言われたら一致する場所が見つからない。

例えば、マルクス史観にしたがうと、アメリカは南北戦争の前は古代になってしまいます。アメリカには本当に奴隷制があったのですから、奴隷制度に支えられた時代は古代としかいいようがありません。現代中国も、中華人民共和国はマルクス史観を採用していますが、マルクスの時代区分は過去のどの時代にもあてはまりませんから、アヘン戦争以前は古代になるとするしかない。

アヘン戦争から現代だ、としたのは毛沢東で、史実に基づくのではなく、歴史を政治闘争の道具に利用したのです。もっとも、マルクスの発展段階説だって、もともとその社会がどの段階にあるかで、どういう革命の戦略を採用するかを決めるという政治理論でした。

日本ではいつから古代かというと、平安時代より前の飛鳥時代が古代にされますが、飛鳥時代の日本に奴隷はいません。

このように、マルクスの発展段階説を歴史に当てはめようとすると、本当に矛盾だらけになってきちんとした説明になりません。にもかかわらず、いまだに歴史教科書が、古代、中世、近世、近代、現代と時代区分するのはなぜでしょうか。

過去から歴史はずっと現在まで流れてきて世界は進化し続けているという思想に、私たち日本人も含めて、二〇世紀の人間はすっかり洗脳されてきたからです。それは歴史事実というよりも、過去はこのようなものだったという近代社会になってからの解釈にすぎません。それが岡田英弘の『歴史とはなにか』の大切なメッセージの一つです。

医療も技術も進歩して人類の生活は豊かになり、人間は宇宙にも行けるようになった。古代から現代に至るまでに人間は進歩してきたという進歩史観が背景にあるからです。

この進歩史観は、実は一九世紀にヨーロッパで流行していたダーウィンの進化論に大きく影響されています。生物がアメーバから段階的に複雑な生命体となって、最後に哺乳類が生まれて、その一番進化した生物が人間だというのは、キリスト教の神様が最後に自分に似せて人間をつくったという思想の影響もあるからでしょう。

時代区分は古代と現代の二つしかない

ところで、ふつう人間が分けて考えることができるのは、いま現在自分がいる世界と、自分が生まれる前、というよりも、ものごころがつく前の、親や他人に聞いた時代や本で読んだ過去しかありません。この人間の思考の限界から、実際的な時代区分というものを考えると、結局、人間が時間を分けて考える基本は、「いま」と「むかし」の二つしかないということです。これを言い換えれば、「現代」と「古代」という二分法になる。この二分法以外に、実際的な時代区分はありえないのです。

普遍的な「歴史」というからには、自分一人の経験だけに頼るのではなくて、他人の経験も取り込まなくては、歴史は書けない。そうすると、個人個人で違っている、「いま」と「むかし」の分け方を、そのままにしておいたのでは、歴史にはならない。そこで、何か普遍的な、「現代」と「古代」の分かれ目を、便宜上、どこかに設定しなければならない。これが歴史の時代区分の難しさです。

しかし、その間に中世を入れるのは、過去から順番に世界は一定の方向に進んでいると思いたいという進歩史観に影響されているからです。

実際に世界で起きていることは無数の偶発事件の積み重ねです。一定の方向が決まっているわけではない。人間の社会にはいろいろなことが同時に起こって、それがどこに向かっているかは、だれもわからない。「一寸先は闇」なのです。

しかし、いま目の前にある世界の現実は、一定の方向に向かって着実に進歩していて、最終的に理想の未来が到来するという歴史観は、凡人たる人間にとっては救いになります。

人間は基本的に救いを求める弱い存在ですから、こうしたマルクス主義の影響を無意識に受けてしまうのです。古代と現代の間に中世を入れるのは、人間の社会が一定の方向に進歩しているというイデオロギーのせいなのです。

終末論までが含まれている共産主義の毒

そもそも世界が進化する、未来は理想の世界に向かっていくという考えは昔からあったわけではありません。むしろ仏教の末世思想のように、どんどん悪くなるという考えのほうがふつうでした。キリスト教も実は終末思想が根本にあります。

マルクス主義は明らかにキリスト教に対するアンチテーゼで、それまであった枠組みを転倒するものですが、実際には、キリスト教思想の影響を無意識に受けています。そして前述したようにキリスト教は、善悪二元論の古代ゾロアスター教の影響を大きく受けているのです。

古代ゾロアスター教は、世界は光明（善）と暗黒（悪）の二つの原理からできていて、いずれ光明が暗黒を打倒して世界は終わるという。世界の終わりに時間は停止し、世界は消滅するけれども、ゾロアスターを信ずる人たちだけは救われる。そうやって信者を増やしてきた。

このゾロアスター教の終末論が「千年王国論」や「ヨハネの黙示録」としてキリスト教の『新約聖書』に入り、光明の側に立つ人たちだけが救われるとされた。それがキリスト教の非常に大きな求心力になりました。天国に行けるか、地獄に落ちるか、それは究極の二元論だったからです。

この「終末論」と「千年王国」思想がマルクス主義にも入っているから、未来は共産制になるという思想が成立するのです。

人類は原始共産制という理想郷の住人だった。ところが、支配者と被支配者ができて、本来労働者の取り分であった剰余価値を搾取することで利潤を得るようになった。それは不公平な社会だから、資本家を倒して平等な社会をつくれば人々は幸福になれる、としたのがマルクスのいう共産主義でした。

マルクス主義は国民国家とのセットで世界の大潮流となった

二〇世紀に入って世界中にマルクス主義が広がった理由は、国民国家の成立と実はセットになっていると思います。前章でも述べましたが、国民国家は、アメリカ独立戦争とフランス革命によって、それまで国王が所有していた土地・財産をだれの所有に移すのかという問題から始まりました。イングランド王の植民地、フランス王の財産を国家の成員である国民すべての所有に移管する。そのために国民が自らに主権があることを宣言して国民国家をつくることで、国民の所有権を認めるというかたちをとったのです。

その国民国家は何を生み出したのか。イギリスやフランスなどで国民国家が誕生したとたんに、国家の内側は共通の歴史を持つ国民が平等に主権を持つようになった。ところが、国民でない人たちからは収奪することになったのです。国民国家づくりで先行したヨーロッパは、アフリカやアジアを植民地化して、植民地の住民を搾取することで富を獲得していった。だから、労働している側、搾取されている側に正義があるとしたマルクス主義が熱狂的に受け入れられたのでしょう。なぜならマルクス主義が、金持ちは悪で、持たざる無産階級に正義があると、既存の価値を転倒させたからです。

ロシア革命も中国の共産革命も、金持ちたちを殺して、彼らの財産を分配することで革命を実現させました。中国共産党は「黒五類」「紅五類」と人々を二つに区分しました。それまでの知識階級と資本家、地主は全員が「黒五類」に分類され、存在そのものが悪いと言って本当に殺して、地主の土地をみんなで分けた。共産主義は、持たざる者が持っている者から奪うのですから、血で血を洗う暴力革命に必ずなるのです。

共産主義は、持てる者は悪であるとしましたが、それは非常にはっきりした二元論です。しかし、分配だけが平等でも、生産する人がいなければ国は富を生みません。流通や生産を担っていた富裕層を排除していった結果が、二〇世紀が終わった今、世界中で社会主義、共産主義が衰退していった大きな理由の一つだと思います。

それでも歴史にはストーリーがなければ人間には理解できない

マルクスは歴史学者ではなく政治学者だったと言うべきでしょう。これほど非現実的、空想的な歴史観はありません。マルクスの唯物史観、発展段階説は、史実を明らかにすることには興味がなく、社会がどの段階にあることにするかをまず決めて、それによって革命戦略を決めるという政治理論にすぎなかったからです。

いま中国と韓国と日本の間で歴史認識論争が起きていますが、これも歴史ではなく、政治です。歴史を政治だと思うこと自体がマルクス主義の影響ですが、実は司馬遷の『史記』も儒教も、やはり歴史と政治を混同していますから、中国や韓国にとっては、これ以外の思想はないに等しいのでしょう。

原始、古代、中世、現代、未来と発展段階論をとなえたマルクスの唯物史観は、歴史ではなく間違った政治理論でした。しかし、矛盾しているようですが、古い時代から時間が順番に現代に流れていて、それを整理して物語るのが、歴史叙述の役割です。何度も述べているように、歴史とは過去を説明する説明の仕方だからです。

実際には世界に筋道などありません。偶然が偶然を呼んで、あちらこちらと、微粒子のブラウン運動のようによろめいていると見たほうが、よほど論理的です。現実の世界の変化には法則があるわけでも一定の方向に向かって進化しているわけでもないのです。

ちょっと考えたらわかります。何十億もの人間が暮らしているのです。すべてが法則通りにきちんと動くなどということが、人間社会であるわけがない。みんながいっせいに統制されて動くのだったら、それこそ全体主義です。

しかし、人間にとって何かを理解するということは、それにストーリー（物語）を与えるということです。物語がないものは人間の頭では理解できない。だから、世界自体には筋道がなくても、歴史には筋道がなければならないのです。世界の実際の変化に方向がないことと、歴史の叙述に方向があることとは、どちらも当然のことであって、矛盾しているわけではありません。このような人間の心理の機微にマルクス主義が合致したのでしょう。

国と文明によって歴史は異なるのが当然です。だから、歴史認識を統一しようとしてもかみ合うことはないのです。

わかりやすい二元論ほど危険なものはない

中国は、勝ったほうには天命が降りたのだという司馬遷の正統史観の上に、やはり二元論である社会主義も共産主義も都合よく取り入れました。自分たちが善であるからには日本は悪だと言う。それは単なる善悪二元論です。

二元論と歴史は違うということを、私は繰り返し言ってきました。マルクス主義などのイデオロギーや、キリスト教やゾロアスター教などの宗教は、善悪の判断と社会の方向性を決めるので大衆を大きく動かすことになります。とりわけ各種のメディアが発達した一九世紀末以降は、大衆運動によって社会は大きく変動してきました。

多数決で決めるのが民主主義の原則ですが、ときには多数決はたいへん危険な選択の手段となります。わかりやすい意見に多数は従いますが、ものごとはわかりやすいことばかりではないからです。また、複雑な事情をきちんと理解できる人は、基本的に多数ではありません。ここに民主主義の落とし穴があります。だから、わかりやすい二元論には気をつけなければならないのです。

どんなことにも理由があります。明治以来の日本と朝鮮半島、大陸との関係は、当時の世界情勢と現地の複雑な状況がさまざまに影響して、結局は日本にとっても不本意な結果になったのです。中国と朝鮮は何一つ悪くなく善であったのに、日本が理由もなく悪魔のような仕業をしたというわけではありません。

また、完全に正しい理論、正しい考えというものはありません。戦後、教科書は書き換えられてしまいましたが、私たちはそれ以前の歴史や、いまとは違う考え方があったことも知るべきです。知識は力ですから、単純に思い込まずに疑って、自分で考えてみることが大事です。

本章で取り上げた古代と現代の話は非常に難しい問題です。私の説明を読んだからといってすぐに理解できるようなものではありません。ただ、何か一つでもひっかかることがあれば自分で考える種にしてください。私はそれだけで成功だと思っています。

第11章

日本の歴史教育の大問題

日本の世界史教科書は、西洋史と東洋史の寄せ集め

「日本の歴史教育」はどうあるべきか。本章では日本の世界史教育の現状とその問題点について述べたいと思います。

私たち日本人は、中学、高校で世界史を履修します。しかし、世界史という教科は戦前にはありませんでした。戦後、日本がＧＨＱ（連合国軍最高司令官総司令部）に占領統治されていた時代に、戦前の西洋史と東洋史を合体させたものが世界史となったのです。

では、戦前の日本における歴史教育はどのようなものだったのか。そこから丁寧に振り返って考えなければなりません。なぜなら、現在の日本で使われている世界史の教科書にはもちろん世界各地のさまざまな記述が出てきますが、もともとの西洋史と東洋史の二つの歴史学の流れが厳然と残っているからです。

戦後から現在までの高校の歴史教師は、大学の教育学科以外では歴史をどこで勉強していたのか。私の場合は、京都大学の東洋史学科を卒業しています。私と同年輩の学校の先生は全員、西洋史学科か東洋史学科のどちらかを出ているはずです。西洋史か東洋史のどちらかが専門という人たちです。つまり、戦後長い間、中学や高校の教科としては世界史がつくられたけれど

も、日本の大学には世界史学科はなく、東洋史学科、西洋史学科しかなかったということです。世界史の教科書の執筆陣では、シナ史を含む中国史、あるいはアジア史は、大学の東洋史学科を卒業した人が担当します。もちろん大学入試の試験問題もそうです。ヨーロッパ史は大学で西洋史を勉強した人が書きます。したがって、一人の著者によって書かれた世界史の教科書というのはまずありえません。世界のさまざまな地域の歴史を一人の学者が全部知っているはずはないので、必ずどこかの土地、どこかの文明の専門家が自分の専門とするところを分担して執筆することになります。

そうなると、それぞれの地域の歴史が相互にどうつながるのか、その記述がきわめて難しくなります。歴史とは過去をどのように解釈して物語るかということなので、地域によって違っており、ひととおりではないからです。その結果、非常にわかりにくい寄せ集めの教科書になってしまったのです。試験問題も同様で、西洋史と東洋史のどちらかが主になって作成します。もちろん改善の努力はされていますが、完全に成功しているとは言えません。

ヘーロドトスと司馬遷という二つの歴史観が一緒にまとまるはずがない

西洋史のもとになった、紀元前五世紀にヘーロドトスが創りだした地中海文明の歴史観と、東洋史のもとになった前一世紀に司馬遷が創りだしたシナ型の歴史観は、本書で述べてきたようにまったく異なります。

少し復習しておくと、『ヒストリアイ』でヘーロドトスが言ったのは、世界は変化するということです。国は人間と同じように誕生して大きくなるけれども、やがて老年になって滅びる。政治勢力の対立抗争によって世界は変化していく。さらに、ヨーロッパとアジアは対立する二つの勢力であるという解釈です。

では、シナ史はどうなのか。司馬遷の『史記』は、黄帝という最初の天子から、天が命を変えることで王朝が交代し、夏、殷、周、秦、漢と続いて来た。つまり、天は昔もいまも永遠不変で、その天命によって天子が交代する。これがシナの歴史です。

この両者はそれぞれ過去をひとつのストーリー（物語）で説明することには成功しました。しかし、おわかりのように、これでは物語の枠組みがまったく違っていてかみ合いません。

西洋史と東洋史では、基本となる歴史観がはっきり二つに分かれてしまっているのです。この二つを合体させたところで、筋書きがまとまるはずがありません。日本の世界史教育の大きな問題点がここにあるのです。

日本人がシナ史をヨーロッパの歴史観で置き換えて東洋史をつくった

日本の世界史教育の原点は明治維新にあります。明治政府は日本が西洋列強の植民地にならずに世界のなかで生き残るために、国民国家化を推進させ、富国強兵に乗り出したからです。富国強兵のためには欧米の進んだ知識を取り入れる必要があり、同時に欧米の歩んできた歴史も知る必要がありました。

当時の列強のなかで、一番の大国は実はアメリカではなくてイギリスでした。次いでフランスが強国で、ドイツはちょうど列強の仲間に入り始めたところです。そして、日本が明治になって国民国家として世界に出ていくのと同じころに、アメリカも太平洋に進出するようになってきていました。

日本は幕末期からすでに欧米に多数の留学生を派遣していて、産業革命を経て飛躍的に発展していた西洋の文化・技術を学んでいました。

明治政府は、外国人教師を破格に高い給料で多数雇いました。いわゆるお雇い外国人です。こうした外国人教師は日本語ができたわけではない。すでに英語、ドイツ語、フランス語などに堪能な留学経験のある日本人も大勢いましたが、留学経験のない日本人もまず語学を勉強し、できたばかりの帝国大学などの場で外国語で学んだのです。

日本がすごいのは、理系と同様に、文系も西洋の新しい学問を本当にそのまま輸入して、なんとか日本にも定着させようとしたことです。官僚だけでなく民間の人たちも含めて官民で貪欲に新しい知識を吸収したのです。

歴史学については、その当時ヨーロッパで勢威のあった実証史学のレオポルト・フォン・ランケの弟子のルードヴィヒ・リースが、現在の東京大学の前身の帝国大学に招聘されて、文学部の前身の文科大学に史学科が開設され、ここでヨーロッパ式の歴史学を学ぶことになりました。日本で最初の帝国大学は東京帝国大学ですが、このリースが東大で教えた歴史学から日本の西洋史が始まります。

一方、それまで漢文で「四書五経」や正史の「二十四史」を読んでいた日本人が、シナの王朝史を、西洋史に負けないようなものにしようとしてつくったのが東洋史です。ヨーロッパの歴史学をシナ史に置き換えたのです。シナの王朝交代史である「二十四史」は、皇帝が天命を失って、次の皇帝が天命を得たとだけしか書かれていません。それを、支配地域の広がりや、住民たちの生活の変化、遊牧民の移動などと関係づけた歴史学にしたのは日本人なのです。いま中国史と言われている古い時代からの歴史は、日本人が「シナ通史」として、ヨーロッパ史に対抗して新しくつくったものです。

「歴史」という単語自体が、前にも述べたように実は日本人が発明した言葉です。シナでは「史」としか言いません。西洋の「ヒストリー」を翻訳したのが、「歴史」です。日本人が「歴史」と言うときは、ヘーロドトス著『ヒストリアイ』から継承されてきた西洋史を指します。

戦前から西洋史と東洋史は対話をすること自体が非常に難しかったといわれます。西洋史はシナには関係がない。しかし、東洋史のほうは西洋史をモデルにしたわけだから、シナ史を西洋史と対等にしたい。そこでどうしたかというと、例えばマルクス・アウレリウス・アントニヌスが「安敦（アントン）」という漢字の名前で出てくるから、シルクロードは東西の交流があったなどという東西交渉史が教科書に書かれる。私の専門である遊牧民研究でも、万里の長城の外を扱った塞外《さいがい》史で登場する匈奴《きょうど》が、西へ行ってフンになった学説などを組み込んで、西洋史と東洋史を一つの世界史にしたいという衝動がありました。

では、日本史はどうか。日本史は司馬遷の『史記』に反発した対抗文明としての性格を色濃く持っています。日本はシナの影響など何も受けていない、神武天皇以来ずっと万世一系の天皇が続いてきた歴史が日本史だとする。また、日本は長い間大陸とは鎖国して距離を置いていたので、日本史の記述自体が日本列島の中だけで完結しており、東洋史にも西洋史にも関係することがないので、どちらにも組み込むことができません。

日本史は、最初から西洋史を意味する史学科とは別に国史科がつくられました。そのあとで漢史科ができて、こうして三つの歴史学科ができることになりました。漢史科がやがて支那史学から東洋史に改称されますが、戦前はずっとこれら西洋史・東洋史・国史の三本立てになっていたのです。

戦前は日本で歴史を勉強するというと、この三つのうちから選ぶしかなかった。それを横断的に学べる学科はありませんでした。だから、いまの教科書も、日本史と世界史に分かれているのは、実は戦前の学校教育、大学教育に原因があるのです。

日本の西洋史が明治維新当時の三大強国を歴史の主軸にするのはシナ史の発想

いわゆる西洋史自体、ヨーロッパで教えられている歴史と日本で教えている西洋史とはまったく違うということにも注意すべきでしょう。イギリスでもフランスでも、ふつうは自国史を教えます。外国の歴史を教えることなどありません。どの国も自分たちの歴史こそが大事で、アメリカ史などは非常に主観的な、アメリカ人がいかに立派だったかという歴史しか教えません。

しかし、明治維新でようやく近代化した日本は、鎖国を解いて開国したばかりでまだ弱小国だという意識が強かったために、世界情勢を知るためには万国史が必要だという思いがありました。世界で何が起きているのかを手っ取り早く日本人に知らせなければいけない。だから、当時の列強について、とりあえず歴史的背景を知らなくてはと、国民国家になった各国の歴史を万国史としてそれぞれに翻訳し、勉強を始めていたのです。

そのあとで、リースが持ち込んだヨーロッパの実証史学を取り入れたので、日本の西洋史は非常にいびつな構造になっています。

いまでも日本の西洋史概説は、メソポタミアに始まり、ギリシア、ローマ帝国を経て、フランク王国、それからフランス、ドイツ、英国という、明治維新当時の世界の三大強国に終わる歴史の流れが主軸になっています。

なぜこのようになったかといえば、『史記』以来のシナ史の正統の観念を当てはめてヨーロッパ史を理解しやすくしようとしたものだと思われます。天命は近東からギリシア、ローマ、ゲルマンを経て英・独・仏に伝わったと考えたからです。

ギリシア・ローマ文明が神聖ローマ帝国になり、フランク王国になり、フランク王国が分かれてドイツやイタリア、イギリスにつながるというのが西洋史の主流です。だからいまの日本の西洋史学科の中でも、イギリス史やフランス史を研究する人が偉いとされている。

けれども、実際には地中海文明の源流は、ヘーロドトス自身が言っている通り、エジプトにあります。これはギリシア人にとってだけでなく、ユダヤ人にとってもそうです。それにもかかわらず、エジプトのことはエピソードとしてしか扱われていません。

なぜエジプトではなくてメソポタミアから始まったとするのかというと、『旧約聖書』のエデンの園やノアの洪水やバベルの塔の印象が強いので、西洋史を書いた後世のキリスト教徒が文明の発祥の地をメソポタミアに求めたからでしょう。

また、日本の西洋史学科では東ローマ帝国（ビザンチン）の歴史もあまり研究されていません。ローマ帝国はゲルマン民族の大移動で滅びたとされますが、これは西ローマ帝国が滅びたのであって、東ローマ帝国はオスマン帝国に滅ぼされる一四五三年まで大きな領域を支配し続けています。しかしそれをだれも西洋史だとは思わない。

アメリカ史はありません。アメリカは非常に新しい国だからです。アメリカ史は日本の世界史教科書にはほとんど記述がなく、いきなり現代史から始まります。ロシア史は西洋史の主流とは扱われておらず、ロシア史研究者は劣等感を持っているようです。自分たちは西洋史のなかではいつものけ者だと少しひがんだような言い方をします。

それはイギリス、フランス、ドイツが明治維新以後、日本が富国強兵で世界に打って出たときの強国だったからです。では、なぜこれらの西欧列強が強くなったかといえば、ギリシア・ローマ文明を直接継承したからだという理屈です。そういうストーリーならば、なぜイギリス、ドイツ、フランスなどの西洋列強が強いのかという理由も、日本人にはよく理解できるからです。

いたずらに知識だけを盛り込んでわけがわからなくさせている

日本史も最初の史書である『日本書紀』以来、『史記』の歴史観の影響から抜け出せていません。水戸光圀《みつくに》の指示で水戸藩が一七世紀から編纂を始めて明治時代の二〇世紀初めに完成させた『大日本史』も、南朝と北朝に分かれた天皇家はどちらが正統なのかというかたちで歴史を整理していて、シナ型の正統史観の枠組みから離れていません。

日本史にももちろん、モンゴルが襲来した元寇や、そのあとに倭寇が出ていったこと、織豊《しょくほう》政権時代にキリスト教が入ってきたことなど、外国との接点はあります。けれども日本史の教科書は、それらを「種子島に鉄砲が来た」「天草でキリスト教徒の反乱があった」「オランダの蘭学を江戸時代は勉強した」「文明開化でヨーロッパの技術が入った」とエピソードのように書いているだけです。

その時代の世界がどのように動いていて、なぜその国の人やものが日本にまで来訪したのか、日本人はそこで何を考え、どう対応したのかについては、日本史では考えないし、教科書で教えない。日本は外国とどこが違っていて、いったいどういう国で、外側の世界とはどのような関係にあったのかという視点が、日本史の中にはないのです。

日本人がいまの日本の世界史教科書を読んでも、世界の現状を知るのにほとんど役に立ちません。日本とは何か、いまの世界はどうなのか、世界史という教科で何を教えたいのかという肝心なことが、教科書の中に見えてこないので、ほとんどの学生が歴史嫌いになっています。

学校で歴史を習ったといっても、固有名詞と年号の丸暗記をさせられただけです。教科書には事件が羅列してあるだけなので、それはただの年表にすぎません。なぜある歴史的事件が起こって、それがどういう事態をもたらしたのかという因果関係、背景にある事情を物語ることこそが歴史なのに、日本の歴史教科書はそれをあきらめているわけです。

私は毎年、センター試験でどのような設問が出されているかをチェックしています。最近の大学入試で出される問題は専門家でも絶句するような難問です。受験生に考えさせる問題を出すというのが建前ですが、いったい誰がこの問題にきちんと答えられるのかというようなレベルなのです。

いまでは世界中の国々やさまざまな地域の歴史研究も増えているので、アフリカや中近東、インドなどであったことを、世界史教科書ではすべてを平等に同じ年代に詰め込む傾向にあります。そうなると、覚えるべき固有名詞ばかりが多くなって、相互関係もよくわからず、ますます全体が理解できなくなる。だから世界史は丸暗記の教科になってしまっているのです。
世界史の教科書を執筆した歴史学者たちは、現状でわかっていることはすべて盛り込んだと言います。しかし、そもそも文字が書かれて記録がある過去の出来事はわかるが、それが残っていない時代、地域の歴史はわからない。だから、本来、歴史というのは不公平なものなのですが、いまの歴史教科書は、一見すると、公平に世界を記述した歴史に見えます。しかし、狭義の歴史、つまり過去を解釈して物語るという歴史の本来のあり方からはほど遠いのです。世界のさまざまな地域の過去がバラバラに羅列されているだけです。それがいまの日本の世界史教科書です。

しかも、世界史の教科書には日本の記述が抜け落ちているので、まるで日本は世界ではないかのように思える。これが最大の問題です。では、日本人がつくる世界史の第一歩はどこから始めるべきか。それが最後の問題になります。

第12章

日本人がつくる世界史

歴史はわかりやすい物語ではない

前章では日本の歴史教育の問題点について論じました。日本においては、世界史はもともと西洋史と東洋史に分かれていた。その二つの歴史学を戦後になって合体させたものが世界史になった。西洋史と東洋史がそれぞれに話の脈絡をつけていたものを、時代ごとに区切って輪切りにしたものを年代順につなぎ直したのが日本における世界史なのです。

最近では、さらに別の地域での歴史的な発見を世界史に詰め込んでいくかたちになっています。そのために、どの地域の歴史についても一応の記述がありますが、「何年にどこで何があった」「何年に誰がいた」という、年代と固有名詞ばかりが多い世界史教科書になってしまいました。それをいくら丸暗記したところで何も歴史がわかったことにはなりません。人の名前と年代をいくら覚えても、少しも意味がありません。

なぜなら歴史という学問は、過去をわかりやすく説明して物語るものだからです。そもそも物語のない固有名詞、物語のない事件は、思い出すこともできないし、理解できない。だから、学生たちが歴史を嫌いになる。世界史は暗記する内容が多すぎるからです。大学の入試試験の選択科目として世界史が敬遠されがちなのも、日本の世界史が、ストーリーのないばらばらになった過去の出来事をひたすら教えているだけだからです。

では、歴史はわかりやすく物語ればいいのでしょうか。話はそう簡単ではありません。わかりやすくておもしろい物語は、ほとんどフィクションの世界になるからです。知らない過去の歴史は、つくり話が上手ならば、まったくの嘘でも信じ込まされてしまう。その絶好の実例が、中国や韓国が自国民に教え込ませている反日的な歴史です。

中国共産党も韓国政府、北朝鮮も、「戦前の日本がアジアにした行為はすべて悪かった」と教科書に書いて、教えている。それは善悪二元論であって、決して歴史と呼べるようなものではありませんが、そういう反日の歴史教育をしている国が、日本のすぐ隣に実際に存在しているわけです。彼らとの間で歴史が政治問題化して、日中、日韓で歴史認識を共有する会議が開催されて報告書までつくられましたが、歴史認識を政治的にひとつにしようとすること自体が、初めから間違っています。日本とはまったく違う歴史の枠組みのなかにいる彼らと、歴史認識を一致させようとか、教科書の内容を一緒にして共有しようとしても、決してできるはずがありません。

実は歴史にはそういう落とし穴があるのです。わかりやすい過去がいかに危険かというのは、マルクス主義も同じです。一九世紀以来、一世を風靡したマルクス主義は、原始共産制、古代奴隷制、中世封建制、近代資本主義を経て未来共産制、これが歴史だと教えました。

前述したように、これは歴史ではなく政治理論で、人間世界も生物と同じように進化してきたという発展段階説なので、その当時はやったダーウィンの進化論の影響を色濃く受けています。「皇帝がいるから専制主義の古代」「民衆に商売が広まっていたから、宋代に中国の近代が始まった」「アジアは専制主義で封建的」などは、適者生存説に影響された空想にすぎません。戦後の日本の歴史教育でも「古代」「中世」「近代」と区切っていること自体がマルクス主義を取り入れているということです。

進化論から見れば、サルと人間のDNAは九九パーセント同じです。その違いはわずか一パーセントにすぎない。ところが、アメリカのキリスト教徒の一部は今でも断固として進化論を認めません。人間は神様が神に似せて最後につくったもっともすぐれた創造物であって、残りの劣った生物すべてを支配する権利があると考えるからです。

白人のキリスト教徒は白人こそが神の子で、黒人も黄色人種も劣っていると教え込まれてきた。歴史も同じように優劣があると考える。だから、世界に覇を唱えた戦前の日本は憎しみの対象にされました。

このように歴史の見方はさまざまです。これが真実だという歴史が存在するわけではありません。ひとつの世界史ですべて解決するという歴史があるとは思わないでほしいのです。

歴史にはわかりやすさが必要だが、わかりやすさは間違いにもつながる

日本人は明治以来、欧米先進国の文化・知識を全部取り入れてきたので、外国語の文献や、いまの世界に存在しているものをまず信じようとします。現代に伝わって残ったものを、日本人はとりあえず全部受け入れて勉強しました。しかし、学んだ内容はすべて整合性がとれているわけではないのです。

何度も述べていますが、文献があるということは、書かれた当時に世の中に知らせたい、あるいは書いて残そうとする目的があったからです。一〇〇〇年、二〇〇〇年後の日本人に本当のことを知らせたくて文献がつくられたわけではありません。だから、歴史史料としての文献は、だれがいつの時代に何の目的で書いたのかということを、まずきちんと理解して、史料批判を十分にした上で利用するしか方法はありません。

本当かどうか、真実はわかりにくいものです。この世に百パーセントの悪人はいません。ましてや国と国との関係で、どちらかが完全に悪で、一方が正義だということはありえません。これまでの世界の歴史事件の背景を調べていくと、必ずさまざまな要因がからみあって複雑な動きかたをしています。宗教や思想、主義だけで、歴史が動いていくわけではないのです。

ところが、歴史を説明しようとするときには、正邪や善悪の二元論的に解釈するとわかりやすい。二元論で説明されるとそう見えてしまいます。歴史はいつもそういう危険と隣り合わせなのです。過去を説明するときに都合のいいところだけを抜き出して並べて「ほら見ろ、こうじゃないか」と言われたら、そうも見えてしまうものなのです。

だから、注意しなければいけないのが、歴史のわかりやすさなのです。そもそも健康食品だったら、「これ一つ飲めば、健康になる」というような宣伝や説明の仕方には注意すべきだとわかるでしょう。

だいたい一つだけですべてが解決することなど、人間の社会にあるわけがない。それでも自信を持って言われると、つい信じてしまう。しかし、自信を持って完全に正しいと言い切ったその反対側には、切り捨てられたものがたくさんあると思うべきなのです。

世界史と日本史が対立しているようにしか日本人には見えていない

では、日本人がつくる世界史はどうしたらいいのか。私たちは歴史をどう見ればいいのか、という問題を考えてみましょう。まず最初に、日本の外側に世界史を決定する絶対的な神のような存在があるとは思わないことが大切です。

前述したように、日本の世界史教科書は、西洋史と東洋史という、それぞれ縦に脈絡のあるものをつなぎ合わせてできていますが、国史は入りませんでした。

戦前の日本には西洋史と東洋史と国史があった。戦後は西洋史と東洋史を合体させて世界史ができた。それでも国史を合体させることはできず、結局、国史は日本史になりました。日本史を勉強するか、世界史を勉強するかというように選択科目として分ける学校もあります。大学の入学試験でも、別の学科になっています。どちらかしか勉強しない日本人が増えているのです。

しかし、日本史の教科書を読んでも世界とのつながりはほとんど出てきません。世界史の教科書を読めば、日本以外の国の歴史がばらばらに並んでいるだけで、日本は入っていない。だから、日本史と世界史は対立構造のように見えてしまうのです。

その結果、日本人が歴史をどう考えるかというと、世界は一つの共同体で、日本人は共同体としての世界に入らない存在である。われわれ日本は、世界とは別の歴史を歩んできた別世界である。このように思わされることになります。

日本史の教科書を読んでも世界史は出てこないし、世界史の教科書を読んでも日本は出てこない。日本が唯一世界史に登場するのは、日本が侵略したと言われる戦争のことだけです。

日本の侵略というのも戦後書き換えられた歴史です。日本が外地を統治したことはすべて侵略にされている。戦争以外のこともすべて侵略と言われて、すべて日本が悪いという主張は、歴史ではありません。ただ、過去をこのように結論づけたいと思って出来事を並べてみると、そのように見えるということです。なぜなら歴史は過去の物語だからです。

世界でも日本にしか見られない「自虐史観」

共産党が政権を握る現代中国は、前述したように、マルクス主義と司馬遷の歴史観を合体させたような結果中心史観で、「成功したから正しい」「失敗した奴には天命がなかったのだから悪い」というだけのものです。中国人にとっての「正しい歴史認識」は「いま中国大陸を統治している中華人民共和国の言うことはすべて正義で、戦争に負けて大陸から追い出されたのだから、日本のしたことはすべて悪い。日本人は戦争に負けたのだから、奴隷になって謝り続けろ」というものです。

こうした中国などの歴史観の対局にあるのが、世界でも日本にしか見られない自虐史観です。外国がそう主張しているとか、外国の歴史教科書に書かれた記述をそのまま受け入れて、「日本は悪口を言われているのだから、やはり日本は悪かったはずだ」と、日本の教科書に入れてしまう。

一九八二年に、日本の教科書で侵略を進出と書き換えたという、真実ではなかった報道がさかんにされた結果、当時の文部省、今の文部科学省の教科書検定に「近隣諸国条項」などという規定が取り入れられることになったなどはまさにその典型例です。

これは何かというと、近隣のアジア諸国との間の近現代の歴史的事象の扱いに、国際理解と国際協調の見地から必要な配慮がされていること、という規定です。国民国家として自国民をまとめるためにもっとも大切な自国の歴史を、政治の道具にして汚したのです。そうして、中国が勝手に筋道を立ててつくった歴史を受け入れて、日本の教科書を嘘で書き換えてきました。

日本人がなぜ、中国や韓国の主張する近現代史の言い分にやすやすとだまされるかというと、その源流には東京裁判史観があります。開戦当時にはなかった「平和への罪」「人道への罪」などを理由に戦犯が裁かれたのが極東軍事裁判でした。占領軍のＧＨＱは、軍国日本は世界の平和と人倫を破壊した犯罪国家であり、原爆投下も正当化されるという史観を日本人に植えつけるためにさまざまな情報工作を行なっています。また、ＧＨＱのアメリカ人には共産主義思想を持つ人が多かったために、日本の教育界は左翼系の人たちの影響下に入ることにもなりました。

自虐史観は共産主義が歴史に投影されてできた

日本の自虐史観はなぜ始まったのか。マルクス主義と社会主義革命の存在を抜きには考えられません。一九一七年にロシア革命が起きて、一九一九年には世界同時革命を目指すコミンテルンが成立します。コミンテルンの世界共産革命の運動は、当時の世界に大きな衝撃を与えました。帝国主義の支配下にあった植民地の人たちは、この運動に呼応して革命のために立ち上がったのです。

そして、一九三二年に日本共産党に向けて、コミンテルンは天皇制を打破してブルジョア資本主義革命を実現せよというテーゼを出します。いわゆる三二年テーゼと呼ばれるものです。天皇は制度ではないのに、日本はまだ絶対主義的体制としての天皇制の段階だと規定したのです。天皇を否定せよというのですから、日本共産党から多数の転向者が出るということも起こりました。コミンテルンの活動自体はスターリンの時代には主流ではなくなりますが、その後の日本だけでなく、中国、韓国、北朝鮮に影響を及ぼし続けます。

日本は国民の民度の高さもあって、持てる者はすべて悪だとして、資本家を倒そうというような共産主義に賛同する勢力が大きくなることはありませんでした。

日本はもともと、天皇陛下を筆頭として、上に立つ者みんなが下々の人間のことを思いやるような、相互扶助の行き届いた社会でした。天皇陛下の生活は質素でしたし、資産家が自分たちだけが思いきりぜいたくな生活をして貧乏人から搾取するというようなことはなく、会社の社長は社員の生活を守る配慮をしました。日本は、一部特権階級と、人間扱いをされずに見下される下層階級に二分されるというような階級社会ではなかったからです。

土地を持っている地主はそれだけで悪人だから、彼らを殺してみんなで土地を分配しよう、などという思想は、ふつうの農民でもおかしいと思えたのです。

しかしながら、日本の社会は、社会主義化・共産主義化は免れましたが、教育に関しては日教組を中心に、戦前の日本はすべて間違っていたとする考えは続きました。

「戦前の日本が暗黒だったからアジアを侵略した」というのは、結果主義の司馬遷的な考え方です。それはとてもわかりやすいストーリーです。しかし、そのストーリー自体がもし間違っていたら、真実でなかったとしたら、私たちはどうすればいいのでしょうか。歴史の問題にはこのような堂々めぐりが常につきまとうことになります。

日本の世界史教科書は、ストーリーは言ってみればフィクションなので、嘘になるのを恐れるあまり、歴史を物語る場合にストーリーを抜くという傾向が見られます。歴史教師と執筆者が自分を守るためにそうするのです。何年に何があったと歴史的事実を書くだけなら、責任はないからです。

ところが、日本の側ではストーリーが教えられないので学生たちの記憶に残らず、若い日本人が自国の近現代史についてほとんど何の知識もないままなのに対して、中国と韓国が自分に都合の良いストーリーを作成して日本人に押しつけるということが起こるようになりました。ストーリーがあるとわかりやすいために、嘘でもそうだったのかと思えます。それでは日本人はこれに対抗して、自分たちは正しかったというストーリーをつくって教えるべきなのでしょうか。これも非常に難しい問題です。

国民国家の枠を超えることができる日本人だけが新しい世界史をつくれる

いま世界ではイスラム教とキリスト教の対立が復活しています。ヨーロッパではイスラム難民の流入が続いて混乱が大きくなる一方です。日本人はイスラム教にもキリスト教にも、歴史的に言えばどちらにも利害関係がない。そして、明治以来、日本人は世界中のあらゆる文献を翻訳し続けてきて、日本語で世界の主要な文献はほとんど読めます。もちろん翻訳の質の問題はあるでしょうし、微妙な解釈の違いはあるかもしれません。それでも世界の著書がほとんど日本語で読める。こんな国は世界にありません。

日本人はもともと性善説になじんでいます。相手の善意を信じて、物事を非常に公平に見て、いいものがあれば受け入れてきました。だから日本人には、自らが関与していない世界中の出来事に関して、因果関係をはっきりさせて物語る資格が十分にあると思います。

ただ、ここでもう一度繰り返しますが、私たちの外側に絶対に正しいものがあるとは思わないことです。そして、歴史の史料は作成された時点ですでに目的がある。だれが、いつ、何の目的でその歴史史料をつくったのかをはっきりさせることが大事です。

日本人が世界史をつくる場合、私は強調しておきたいことがあります。第8章の日本史に関連しても述べていますが、日本文明だけが世界で一番古くて、日本人は世界のだれよりも立派で、万世一系の神武天皇以来二六〇〇年の歴史があるとは言わないことです。世界史として考えるならば、日本の古い伝統を持ち出さない。自分たちだけは特別だと言わない。それでは神話になってしまうからです。

世界のどの国家も自国の立場を正当化するために、国民国家史を書きます。しかし、国民国家の歴史をいくら集めても世界史には決してなりません。国家・国民という単位で自分たちの国内を正当化するためにつくられたのが国民国家史だからです。

しかも、本書で示したように、国民国家という考え方が始まったのはたかだか一八世紀末のアメリカ独立戦争とフランス革命以来のことです。国民国家が成立して初めて国境の内側はすべて同じ権利を持つ国民だと考えられるようになりました。したがって、二〇〇年前からの国民国家史は書けても、それ以前の歴史を国民国家史として書こうとしたら、ほとんどフィクションにならざるをえないのです。

また、国民国家になった順番、時代は、フランスやアメリカが一番早く、次にヨーロッパの諸国が続きます。いま世界の国連加盟国は一九七カ国ですが、そのほとんどが第二次世界大戦後にようやく独立して国民国家になった国々ばかりです。

だから、国民国家の歴史は世界史にはならないのです。一国一国の歴史がどんなに詳細に書かれていても、それらをどんなにたくさん集めても世界史にはならない。だから、日本人も日本史という国民国家の歴史を離れて、一歩離れて自分の国を客観化するという、民度の高さを示してほしいのです。

日本人も日本の一国史を離れた世界史を考える、そういう高い地点に日本人全員が立てたときに、初めて日本発の世界史が本当に誕生し、世界の心ある人々がそれを受け入れてくれることになるでしょう。

あとがき

近頃は世界史がブームになっているようで、題名に世界史がついた本がたくさん刊行されています。それは、真面目な日本人が、世界のあらゆる地域における激変に直面し、これらの変化にどうやって対応したらいいのか戸惑って、過去の事例を参考にするために世界史をもう一度勉強し直そうと考えているからではないかと思います。

最近評判の世界史関連の書物をいくつか手に取ってみましたが、日本の世界史教科書が出来事を年表のように羅列しているので無味乾燥になっていることを反省し、事件の背景や人間関係やらのエピソードを挿入して、面白く伝えようとしているのがほとんどで、本書のように日本の歴史教育の枠組み自体を問題にしたものは皆無でした。

個々のエピソードがどんなに面白くても、相互に関連がなければ、結局、教科書よりもさらに煩雑になるだけです。また、どんなにたくさんの本から抜粋しても、それらが伝える事柄が史実かどうかは保証の限りではありません。本書で縷々《るる》説明したように、どんなものにも史料批判が必要ですが、だれでもそれができるわけではないからです。

本書は、二〇一五年にDHCシアター（スカパー！プレミアム547ch／You Tube／ニニコニコ動画でも配信）で収録し、今も配信されている私の教養番組「歴史とは何か」三〇分一二回分の文字起こしを元に、加筆修正を加えたものです。

題名からわかるように、二〇〇一年に刊行された岡田英弘著『歴史とはなにか』（文春新書）と、二〇一六年八月に完結した岡田英弘著作集全八巻の内容を解説する番組だったので、文字起こしを見たら、当たり前ですけど岡田の本の筋書き通りで、これなら岡田の著書を読んだほうがいいのでは、とちょっと思いましたが、二〇一四年に徳間書店から刊行された『かわいそうな歴史の国の中国人』と『悲しい歴史の国の韓国人』も担当してくれた親友の編集者、力石幸一さんが、岡田の考え方は世界基準ですぐれたものだから、これを紹介するのも大きな役割だ、と言ってくれたので、こうして世に出すことにしました。

岡田史学の精髄が本書一冊でわかる、ということは自信を持って言えます。本書を読んで興味を覚えた読者には、少し難しくなりますが、前述の『歴史とはなにか』の他、『世界史の誕生』『日本史の誕生』（両方ともちくま文庫）、『中国文明の歴史』（講談社現代新書）、さらに藤原書店刊行の岡田英弘著作集も併せてお読みいただくことをお勧めします。

本書は、日本人が新しい世界史をつくるための条件を示し、土台づくりをしたものですが、読者の中には、中国人や韓国人だけでなく世界中をあっと言わせるような世界史を早く書いてくれ、と言う人がいます。しかし、そういう短絡的な勝利を求める考えこそが問題で、善悪二元論が世の中の対立と抗争の原因であり続けている、と私は本書で言っています。

　それでももちろん、史実を証明していくことが、日本人が新しい世界史をつくるための基礎作業ですから、私自身も二〇〇六年には『世界史のなかの満洲帝国』（ＰＨＰ新書）を刊行し、最近では『教科書で教えたい真実の中国近現代史』（柏艪舎）という、中学・高校で教える歴史の副読本として使ってほしい、地味ですが自信作を刊行しています。

　史実には力があります。二〇一五年四月二三日、中国の習近平主席の片腕である王岐山は、人民大会堂に招いた日系アメリカ人のフランシス・フクヤマとスタンフォード大学教授の青木昌彦両氏に、岡田英弘著『世界史の誕生』の内容をあれこれ語って褒めたそうです。王岐山は、二〇一三年末に台湾から刊行された漢語訳を読んだらしく、その後、北京でも『世界史の誕生』が出版され、岡田の他の著書も続々と中国語訳が刊行予定です。

　実は、私の『真実の中国史』『真実の満洲史』（どちらもビジネス社）も、台湾から漢語訳が刊行されました。毛沢東だけでなく孫文の悪口をあんなに書いたのに、中国人でも本当のことが知りたいんだ、と嬉しくなりました。私は自分の専門分野でこれからも史実をあきらかにしていきますから、本書を読んだ人の中で同志が増えることを期待しています。

二〇一六年九月一日

宮脇淳子

新装版へのあとがき

二〇一六年九月に刊行された本書が、徳間書店が新しく始める「ニュー・クラシック・ライブラリー」の第一冊目として再刊されることになったのは、たいへん光栄なことです。元版の「まえがき」と「あとがき」も残っているので、本書の刊行の経緯はそちらに書いてある通りですが、今回、校正のために読み直してみて、あらためて最初から最後まで、二〇一七年五月二五日に八六歳で亡くなった、師であり夫である岡田英弘への尊敬の念と愛にあふれていることに、われながら感心しました。

主人は一九九九年四月、六八歳のときに脳梗塞を起こして失語症になりました。言語中枢に血が詰まり、喚語障害という、言葉が出てこない障害をわずらったのです。その後、懸命なリハビリのおかげで、脳に新しい言語中枢をつくり、ゆっくりならば、残った記憶のデータから言葉を取り出すことができるようになりました。

それでも、かつてのような、立て板に水の講演をすることはできなくなったので、人前に立つことは少なくなりました。二〇〇七年には心筋梗塞で五個所の心臓バイパス手術と僧帽弁にリングを埋め込む開腹手術を受け、二〇一二年には重い心不全と腎不全で長期間入院し、除細動器を埋め込んで退院したときは要介護四でした。

でも、二〇一六年には要介護一にまで回復し、自宅で私の介護を受けながら、おだやかに過ごしていました。編集者の力石幸一さんが、本書の校正ゲラを持って訪ねてくれたとき、主人は喜んでいましたし、いまも再版を喜んでくれているに違いありません。

主人の学問がどんなに素晴らしいかを、四〇年来の弟子である私は誰よりもよく知っていますから、講演ができなくなった主人の代わりに、依頼がある限り、一所懸命説明し続けて今日にいたっています。

二〇一三年からは、社会人教育事業を行なっている、株式会社キャリアコンサルティングの「しがくプレミア塾」で、岡田英弘著『歴史とはなにか』をテキストに、三〇歳前後の若い人たち三〇名ほどに、毎月二時間、ゼミ形式の講義をしています。七年目になる二〇二〇年には、ゼミ生が一年生から七年生までおり、分担した章について何名かで研究発表をし、そのあと議論をするのですが、本書はそのゼミの副読本として利用されています。

二〇一六年と一七年の春学期に、東京大学教養学部から非常勤講師を頼まれたときも、岡田の学説にもとづいた世界史の講義をし、その内容は『どの教科書にも書かれていない日本人のための世界史』（ＫＡＤＯＫＡＷＡ）として刊行されました。

主人が亡くなったあと、『満洲国から見た近現代史の真実』『皇帝たちの中国史』（どちらも徳間書店）、『中国・韓国の正体』（ワック）、『世界史のなかの蒙古襲来』（扶桑社）等々、私は何冊も新著を出しましたが、そのすべてに主人の影が感じられる、というよりも、現在、私が行なっている研究も講演も執筆も何もかも、岡田英弘が切り開いた新しい学問と学説に依拠しているということを、いまも日々、痛感するばかりです。

岡田英弘の著書はいまでも増刷を重ねていますし、中国語訳やモンゴル語訳も刊行され続けています。おかげさまで私の本も売れているので、駒込駅前にある岡田宮脇研究室は、主人が生きていたときと同じように維持できています。毎日、主人の蔵書に囲まれ、主人の写真に見守られながら、講義準備をし、執筆活動をしているのですが、調べものをするために主人の本を参照すると、いまもなお新しい発見があります。

読者のみなさまにも、本書を読んでさらに思いを巡らし、これからもずっと、私と同じように勉強し続けていってほしいと願っています。

二〇二〇年三月

宮脇淳子

図一覧

宮脇淳子（みやわき じゅんこ）

1952年、和歌山県生まれ。京都大学文学部卒業、大阪大学大学院博士課程修了。博士（学術）。専攻は東洋史。大学院在学中から、東京外国語大学の岡田英弘教授からモンゴル語・満洲語・シナ史を、その後、東京大学の山口瑞鳳教授からチベット語・チベット史を学ぶ。東京外国語大学アジア・アフリカ言語文化研究所共同研究員を経て、東京外国語大学、常磐大学、国士舘大学、東京大学などの非常勤講師を歴任。現在、昭和12年学会会長、公益財団法人東洋文庫研究員としても活躍。

著書に『封印された中国近現代史』（ビジネス社）、『世界史のなかの蒙古襲来』（扶桑社）、『中国・韓国の正体』（WAC）、『最後の遊牧帝国』（講談社）、『どの教科書にも書かれていない 日本人のための世界史』（KADOKAWA）、『かわいそうな歴史の国の中国人』『悲しい歴史の国の韓国人』『満洲国から見た近現代史の真実』『皇帝たちの中国史』（徳間書店）などがある。

日本人が教えたい新しい世界史

第1刷　2020年3月31日

著者／宮脇淳子

発行人／平野健一
発行所／株式会社 徳間書店　〒141-8202　東京都品川区上大崎3-1-1　目黒セントラルスクエア
電話／編集 03-5403-4344　販売／049-293-5521
振替／00140-0-44392
カバー印刷／近代美術株式会社
印刷・製本／中央精版印刷株式会社

ISBN978-4-19-865074-2